总　策　划：许　琳

总　监　制：夏建辉　王君校

监　　制：韩　晖　张彤辉　顾　蕾　刘根芹

主　　编：吴中伟

编　　者：吴中伟　吴叔平　高顺全　吴金利

修　　订：耿　直

顾　　问：陶黎铭　陈光磊

Dāngdài Zhōngwén

当代中文
修订版

Contemporary Chinese
Revised Edition

Kèběn
课本
3
TEXTBOOK
Volume Three

主　　编：吴中伟

编　　者：吴中伟　吴叔平
　　　　　高顺全　吴金利

翻　　译：徐　蔚
　　　　　Yvonne L. Walls　Jan W. Walls

译文审校：Jerry Schmidt

SinolinguA
华语教学出版社

First Edition 2003

Revised Edition 2015

Fifth Printing 2019

ISBN 978-7-5138-0735-7

Copyright 2015 by Confucius Institute Headquarters (Hanban)

Published by Sinolingua Co., Ltd

24 Baiwanzhuang Street, Beijing 100037, China

Tel: (86)10-68320585, 68997826

Fax: (86)10-68997826, 68326333

http://www.sinolingua.com.cn

E-mail: hyjx@sinolingua.com.cn

Facebook: www.facebook.com/sinolingua

Printed by Beijing Xicheng Printing Co., Ltd

Printed in the People's Republic of China

User's Guide to the Revised Edition

The Chinese language learning course book series *Contemporary Chinese* is designed around the basis of grammatical structure and is integrated with differing topics, functions and cultural aspects. This series is aimed at developing students' comprehensive skills of listening to, speaking, reading and writing Chinese. It includes *Textbook* volumes one through four, with an accompanying *Exercise Book* and *Teacher's Book* for each, audio materials as well as a *Character Book* for Volume 1 and Volume 2.

The first edition of *Contemporary Chinese* was published in 2003. The series is now in its revised edition and has been modified based on suggestions from readers worldwide and taking into consideration the Chinese Proficiency Test Syllabus (SHK) and the International Curriculum for Chinese Language Education. This edition retains many features from the first edition, with some mistakes corrected and part of the texts updated. Some exercises and activities have been added in the *Textbook* while *Testing Materials* and *Supplementary Reading Materials* will be offered for this edition.

Features of this series:

1. Elementary-level instruction: Equal importance should be attached to conversation, phonetics and Chinese characters, and a systematic approach should be taken to teach these three aspects independently. Phonetics is the key to speech and thus will become the teaching focus at the elementary level; while Chinese characters are the stepping stone to reading and writing, characters should be taught beginning with basic strokes and stroke orders and a few characters with typical structures so as to cultivate a sense of their overall structure in students. Conversation should be taught by asking students to repeat full sentences after listening. We suggest that 1/5 of a class period be spent in teaching conversation, 3/5 training phonetics and 1/5 practicing characters successively so that this course will not only help students to create a solid foundation of phonetics and Chinese characters, but also satisfy their communication desire, break the normal learning routine and help them to acquire a sense of achievement.

2. Phonetic instruction: At the elementary-level, phonetic teaching should be carried out from an overview of the subject to details, then back to an overview. In this way, students can, at the outset, obtain a full picture of Chinese phonetics, then a focus may be put on training students' pronunciation step by step, then finally having the students review what they have learned. Despite all the phonemes being listed in the textbook, a concentration on teaching difficult phonemes should be made instead of putting equal focus on all. Translations are given for corresponding pinyin vocabulary words so as to reduce the monotony of memorizing meaningless phonetic units. The textbook combines the teaching of syllables and phonemes with that of speech flow. Instruction may begin from syllable to phoneme so as to improve accuracy of the latter, or from syllable to speech flow so as to reveal the functions and changes of phonetics during vernacular discourse. Phonetic teaching is a long-term task; therefore, phonetic training remains a major part of the textbook after the elementary level.

3. Chinese character instruction: The *Character Book,* for volumes 1 and 2 of the textbook series, is designed based on the unique features of Chinese characters to improve teaching effectiveness. In the series we will shift from the traditional method of requiring students to recognize and write characters simultaneously to the method of separating the two processes; first reading, and later writing at the elementary level. After the elementary level, we will continue to distinguish these two processes by only requiring students to be able to read and write around 25 characters per unit. By the end of Volume 2, students will possess the competence to simultaneously read and write Chinese characters. At this stage, character exercises need to be strengthened while stories related to characters can be told so as to stimulate students' interest in learning and help them to better memorize and understand Chinese.

4. Vocabulary instruction: The vocabulary in this series can be used independently of other segments. They are organized in a practical and systematic way with special exercises designed around them. The words in the glossaries of volumes 1 and 2 are arranged based on the intrinsic meaning of or grammatical functions between words instead of their order of appearance in the text. Some of the words in the glossary do not appear in text. For example, only the character 女 appears in the text, but the glossary will contain both 女 and 男. In addition, the course book series places a premium on the instruction of morphemes and adopts the teaching method of combining characters into words or associating words with characters. In *Character Book*, the meaning of morphemes for certain words is presented and then combined with previously learned char-

acters to form new words so as to expand students' vocabulary.

5. Grammar instruction: This series keeps the grammar to the simplest level, and focuses on the application of grammar and the learning habits of non-native learners. One approach adopted is to treat grammar points as the usages of words or phrases. For instance, the series does not list the modal verb as a grammar point as in its earlier edition. Instead, the similarities and differences between two modal verbs 能 and 会 are introduced. Another approach is to bypass some grammar points such as complex sentences and introduce correlatives as new words such as 可是 and 所以 at an early stage. Students will learn the new words first and the grammar later. The grammar points included in the book are sequenced according to their levels of difficulty and are reinforced at various stages. Many exercises are provided to train students' ability to translate the grammatical knowledge into a functional command of the language. Grammar terms are kept at a minimal level and more semantic and pragmatic explanations are provided. More detailed grammar points and some grammar related questions are included in the *Teacher's Book* for the benefit of the teachers.

6. Culture instruction: This series emphasizes everyday life, trends of the current age and contemporary issues, and features cultural differences and common grounds to make Chinese more relatable to students. The texts combine information about China and learners' native countries, with a focus on the former. Traditional culture and contemporary society are both covered, with a focus on the latter.

7. Exercises and activities: *Textbooks* are composed of different units. In volumes 1 and 2, each unit is divided into three parts. Texts are the core of the first two parts and each text is preceded by certain warm-up activities, vocabulary exercises as well as grammar exercises. Such a scaffolding of activities and exercises are a manifestation of the teaching process aimed at examining students' preview of the vocabulary and familiarizing them with words and expressions as well as key grammar points. Furthermore, each text is followed by corresponding questions designed to check students' understanding along with certain extension tasks so as to cater to the various needs of students, which makes the series more adaptable to individual users. Language points and cultural notes constitute the third part of each unit. Cultural notes are provided for general reading while language points can be seen as a summary of the unit's key teaching points. These language points should be integrated into the course lesson plans; teachers can also use these language points to give error correcting feedback to students through the exercises.

The *Exercise Book* supplements the *Textbook*. The listening and reading exercises in the *Exercise Book* are designed to include some new words. Students are not expected to learn them as they will not affect their ability to answer the questions. This arrangement allows students to familiarize themselves with authentic communication scenarios and enhance their ability to communicate with the Chinese people in real life.

8. Teaching plans: Each volume of this series is divided into 12 units and it is suggested that 6-8 class periods be spent on each unit (Volume 1 contains eight units preceded by Unit 0, which is a preparation unit that can be covered over 24 class periods). Thus, each volume will take one semester or a school year to complete depending on the weekly class hour arrangement of the course and the level of students.

For more information regarding the basic structure and compiling thought of the series, as well as other reference materials, background information and teaching advice, please refer to the *Teacher's Book*.

We are always grateful for any of your suggestions and advice.

Wu Zhongwei
wuzhongwei@fudan.edu.cn

To the Learner

Welcome to *Contemporary Chinese*!

Contemporary Chinese is designed for students whose native language is English. The ultimate goal of this series is to develop the student's ability to comprehend and communicate in the Chinese language. Specifically, it provides training in the skills of listening, speaking, reading, and writing Chinese.

The whole series consists of **four volumes**. You may work through the whole series or use only the volumes of your choice.

The following are to be used together with the **Textbook**:

* **Exercise Book**

* **Character Book (only for Volume One and Volume Two)**

* **Audio Materials and CD-ROM**

* **Teacher's Book**

* **Testing Materials**

* **Supplementary Reading Materials**

The **Textbook**:

➢ is concise, practical, authentic, and topical,

➢ is adaptable to the varied needs of different students,

➢ gives equal attention to listening, speaking, reading, and writing,

➢ guides your learning step by step.

After working through **Volume Three**, you should have a good command of **446 Chinese words and expressions**, **16 grammatical items**, and the ability to further master more communicative skills, including speaking and writing, so as to make your ideas more clear.

Learning Chinese is not so hard.

Let's start!

Chinese Grammar Terms

noun	N.	míngcí	名词
place word	PW	chùsuǒcí	处所词
time word	TW	shíjiāncí	时间词
location word	LW	fāngwèicí	方位词
pronoun	Pron.	dàicí	代词
question word	QW	yíwèncí	疑问词
verb	V.	dòngcí	动词
directional verb	DV	qūxiàng dòngcí	趋向动词
modal verb	MV	néngyuàn dòngcí	能愿动词
adjective	Adj.	xíngróngcí	形容词
numeral	Num.	shùcí	数词
measure word	MW	liàngcí	量词
adverb	Adv.	fùcí	副词
preposition	Prep.	jiècí	介词
conjunction	Conj.	liáncí	连词
particle	Part.	zhùcí	助词
interjection	Interj.	tàncí	叹词
subject	Subj.	zhǔyǔ	主语
predicate	Pred.	wèiyǔ	谓语
object	Obj.	bīnyǔ	宾语
attributive	Attrib.	dìngyǔ	定语
complement	Comple.	bǔyǔ	补语
adverbial	Adverbial	zhuàngyǔ	状语
verb plus object	V. O.	dòngbīnshì líhécí	动宾式离合词

We have already met the following people in Volume One and Volume Two:

Bái Xiǎohóng 白小红
female, Chinese

Dīng Hànshēng 丁汉生
male, Chinese

Jiāng Shān 江山
male, American

Jiékè 杰克
male, Canadian

Zhāng Lín 张林
male, Chinese

Chén Jìng 陈静
Chen Jing, Chinese

We will meet a few new friends in Volume Three:

Mǎkè 马克
American, male, university
student; studying Chinese

Lín Nà 林娜
Chinese, female, student of a
Canadian university; friend of
Qian Pingping

Qián Píngping 钱平平
Chinese, female, university graduate;
looking for a job, while planning to
study abroad in Canada; friend of Lin
Na

Unit 4

Unit 5

Unit 6

Unit 7

Unit 1

Yí Piàn Hóngyè
一 片 红 叶
A Red Leaf

学习目标
Learning objectives

* 谈论季节和自然

  Talking about seasons and nature

* 了解中国人表达爱情的方式

  Understanding how Chinese people express love

* 学习相关词汇，学习"把"字句、"是……的"句式

  Learning related words and the 把 sentence and 是 ... 的 sentence

热身 Rèshēn **Warm up**

下面四个季节怎么说？关于每个季节，你想到哪些特点？把你能想到的词语写下来。
How to say the names of the seasons in Chinese? Write down the words you can recall about each season.

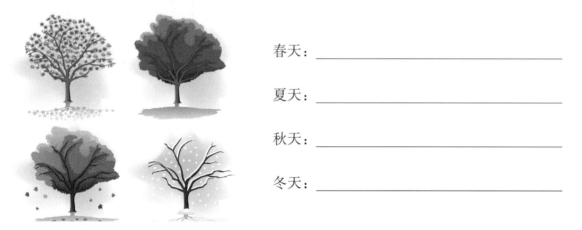

春天：＿＿＿＿＿＿＿＿＿＿＿＿＿＿＿

夏天：＿＿＿＿＿＿＿＿＿＿＿＿＿＿＿

秋天：＿＿＿＿＿＿＿＿＿＿＿＿＿＿＿

冬天：＿＿＿＿＿＿＿＿＿＿＿＿＿＿＿

这是哪个国家的国旗？上面有什么？你们国家的国旗是什么样的呢？
Which country does the following national flag belong to? What is on the flag? What is your national flag like?

你知道中国的香山吗？查一下资料，说一说香山为什么有名。
Do you know about the Fragrant Hills in China? Do a little research and tell why it is famous.

如果你女朋友或者男朋友的生日快到了，你会送什么浪漫的礼物？
What kind of romantic birthday gift will you give to your girlfriend or boyfriend?

词语 Cíyǔ Words and Expressions

Text 1

1.	红叶	(N.)	hóngyè	red autumn leave
2.	著名	(Adj.)	zhùmíng	well-known
3.	当	(V.)	dàng	work as; use as
4.	当作	(V.)	dàngzuò	treat as; regard as
5.	书签	(N.)	shūqiān	bookmark
6.	弄	(V.)	nòng	do, manage; get sb. or sth. into a specific condition
7.	到处	(Adv.)	dàochù	everywhere
8.	国旗	(N.)	guóqí	national flag
9.	美	(Adj.)	měi	pretty, beautiful
10.	难怪	(Adv.)	nánguài	no wonder
11.	之	(Pt.)	zhī	(a particle, often used as a possessive)
12.	枫叶之国		fēngyè zhī guó	a country of maple leaves
13.	象征	(N., V.)	xiàngzhēng	symbol; symbolize
14.	一共	(Adv.)	yígòng	altogether; in total
15.	角	(N.)	jiǎo	corner, angle

Text 2

16.	从来	(Adv.)	cónglái	always; all along
17.	唯一	(Adj.)	wéiyī	only, sole
18.	捧	(V.)	pěng	hold or carry in both hands
19.	摘	(V.)	zhāi	pick, pluck; take off
20.	像	(V.)	xiàng	resemble; be like; look as if
21.	心	(N.)	xīn	heart
22.	收	(V.)	shōu	accept, receive

23.	感动	(V., Adj.)	gǎndòng	be moved; touched
24.	流	(V.)	liú	flow, shed (tears)
25.	眼泪	(N.)	yǎnlèi	tears
26.	笑话	(N., V.)	xiàohua	joke; laugh at
27.	小气	(Adj.)	xiǎoqi	stingy
28.	舍不得		shěbude	be grudge; be reluctant to
29.	花	(V.)	huā	spend
30.	爱情	(N.)	àiqíng	love, affection
31.	表达	(V.)	biǎodá	express, convey, voice
32.	重要	(Adj.)	zhòngyào	important
33.	爱	(V., N.)	ài	(to) love
34.	颗	(M.W.)	kē	(measure word for small and/or round things)
35.	爱惜	(V.)	àixī	cherish, treasure
36.	生怕	(Adv.)	shēngpà	for fear that; lest

Proper noun

1.	香山	Xiāng Shān	Fragrant Hills, a mountain in the suburbs of Beijing, which is famous for the red autumn foliage of its trees.

⚙ **用本课的生词填空**

Fill in the blanks with the new words and expressions.

1. 这就是_____的香山红叶。
2. 我把你_____我最好的朋友。
3. 学习汉字对学习汉语很_____。
4. 女朋友这么爱他，这让他很_____。
5. 地铁里_____都是人，太挤了!
6. 他不小心把我的衣服_____脏了。
7. 这是我送给你的礼物，请你_____下吧。
8. 抽烟对身体不好，所以我_____不抽烟。
9. 他很_____他爸爸，也是高高的、瘦瘦的。
10. 他在中国学过一年汉语，_____汉语说得这么好。

课文一 Kèwén Yī **Text 1**

枫叶比花儿更美
Maple Leaves Are More Beautiful than Flowers

In a university dormitory in Beijing, Chen Jing is reading a book. Jack comes over and takes her book, browsing through it and finding a red leaf in it.

杰克：这个叫什么？

陈静：红叶，这就是著名的香山红叶。

杰克：真好看。你把它放在书里干什么？

陈静：当书签用。小心点儿，别把它弄破了。哎，你们
国家也有红叶啊。

杰克：对，在北美，特别是东部地区也有红叶。不过最
有名的是我们加拿大的枫叶。

陈静：是啊，加拿大的枫叶是非常有名的。

杰克：也是非常漂亮的。到了秋天，到处都可以看到红
红的枫叶，漂亮极了！

陈静：看来你很喜欢枫叶。

杰克：那当然，没有不喜欢枫叶的加拿大人。我们还把
枫叶放在了国旗上。

陈静：所以有人把你们的国旗叫作"枫叶旗"。

杰克：我们的国花也是枫叶。

陈静：是吗？不过枫叶不是花呀。

杰克：可我们觉得枫叶比花更美。

陈静：难怪人们常常把你们加拿大叫作"枫叶之国"。

杰克："枫叶之国"？这个词很有意思，我要把它记下来。

你有笔吗？借我用一下。

陈静：有。不过我先问你一个问题。你回答对了，我就
　　　把笔借给你。

杰克：什么问题？

陈静：枫叶是加拿大的象征。可是，你知道加拿大国旗
　　　上的枫叶一共有几个角吗？

杰克：这个问题可真把我问住了。
　　　让我想想，一，二，三……

> 把…问住了 means that the person being questioned doesn't know the answer to the question, or how to answer it.

Pinyin text

Fēngyè Bǐ Huār Gèng Měi

Jiékè:　　Zhège jiào shénme?

Chén Jìng:　Hóngyè, zhè jiù shì zhùmíng de Xiāng Shān hóngyè.

Jiékè:　　Zhēn hǎokàn. Nǐ bǎ tā fàng zài shū lǐ gàn shénme?

Chén Jìng:　Dàng shūqiān yòng. Xiǎoxīn diǎnr, bié bǎ tā nòng pò le. Āi, nǐmen guójiā
　　　　　yě yǒu hóngyè a.

Jiékè:　　Duì, zài Běi Měi, tèbié shì dōngbù dìqū yě yǒu hóngyè. Búguò zuì yǒumíng
　　　　　de shì wǒmen Jiānádà de fēngyè.

Chén Jìng:　Shì a, Jiānádà de fēngyè shì fēicháng yǒumíng de.

Jiékè:　　Yě shì fēicháng piàoliang de. Dàole qiūtiān, dàochù dōu kěyǐ kàndào
　　　　　hónghóng de fēngyè, piàoliang jíle!

Chén Jìng:　Kànlái nǐ hěn xǐhuan fēngyè.

Jiékè:　　Nà dāngrán, méiyǒu bù xǐhuan fēngyè de Jiānádàrén. Wǒmen hái bǎ
　　　　　fēngyè fàng zài le guóqí shang.

Chén Jìng:　Suǒyǐ yǒu rén bǎ nǐmen de guóqí jiàozuò "fēngyè qí".

Jiékè:　　Wǒmen de guóhuā yě shì fēngyè.

Chén Jìng:　Shì ma? Búguò fēngyè bú shì huā ya.

Jiékè:　　Kě wǒmen juéde fēngyè bǐ huā gèng měi.

Chén Jìng:　Nánguài rénmen chángcháng bǎ nǐmen Jiānádà jiàozuò "fēngyè zhī
　　　　　guó".

Jiékè: "Fēngyè zhī guó"? Zhège cí hěn yǒuyìsi, wǒ yào bǎ tā jì xiàlái. Nǐ yǒu bǐ ma? Jiè wǒ yòng yíxià.

Chén Jìng: Yǒu. Búguò wǒ xiān wèn nǐ yí gè wèntí. Nǐ huídá duìle, wǒ jiù bǎ bǐ jiè gěi nǐ.

Jiékè: Shénme wèntí?

Chén Jìng: Fēngyè shì Jiānádà de xiàngzhēng. Kěshì, nǐ zhīdào Jiānádà guóqí shang de fēngyè yígòng yǒu jǐ gè jiǎo ma?

Jiékè: Zhège wèntí kě zhēn bǎ wǒ wènzhù le. Ràng wǒ xiǎngxiang, yī, èr, sān...

⚙ **根据课文回答问题**

Answer the questions according to the text.

1. 陈静为什么把香山红叶放在书里？
2. 陈静说有人把加拿大的国旗叫什么？
3. 加拿大的枫叶什么时候最漂亮？
4. 杰克为什么很喜欢枫叶？
5. 为什么有人把加拿大叫"枫叶之国"？
6. 陈静为什么不马上把笔借给杰克？
7. 杰克知道加拿大国旗上的枫叶一共有几个角吗？你知道吗？

⚙ **根据课文填空**

Fill in the blanks according to the text.

　杰克在看陈静的书，他发现书里有一片香山_____。原来，陈静很喜欢红叶，把它_____书签用。杰克说，加拿大的枫叶也_____非常漂亮的。到了秋天，_____都可以见到红红的枫叶，漂亮_____了。在加拿大，没有人_____喜欢枫叶。加拿大人还_____枫叶放在了国旗上，所以人们常常把加拿大叫作_____。枫叶是加拿大的国花，也是加拿大的_____。

一片红叶一颗心
A Red Leaf Is a Heart

陈静的一本书里有一片红叶，她说那是男朋友送给她的生日礼物。这可真有意思，把红叶当作生日礼物送给女朋友，我以前从来没有听说过。

陈静的生日是十月十五号，那时候北京香山上的红叶还很少。陈静和男朋友认识快两年了，今年是她男朋友第一次给她过生日，送给她的礼物只有这片红叶。这也是男朋友送给她的唯一的礼物。陈静说，那天他们在香山，男朋友捧着自己摘来的红叶，就像捧着自己的心，请她收下。她感动得差点儿流下了眼泪。

有人笑话陈静，说她找的男朋友太小气了，舍不得花钱买礼物。可是陈静自己不这么想。她觉得爱情是不能用钱来表达的，重要的是男朋友爱不爱她。

香山的红叶红红的，圆圆的，<u>看上去真</u>有点儿像一颗心。难怪陈静那么爱惜，生怕把它弄丢了呢。

This indicates that the speaker is expressing an impression or judgment derived from his observations. For example: 他**看上去**只有二十岁；**看上去**马上要下雨了。

Pinyin text

Yí Piàn Hóngyè Yì Kē Xīn

Chén Jìng de yì běn shū li yǒu yí piàn hóngyè, tā shuō nà shì nánpéngyou sòng gěi tā de shēngrì lǐwù. Zhè kě zhēn yǒuyìsi, bǎ hóngyè dàngzuò shēngrì lǐwù sòng gěi nǚpéngyou, wǒ yǐqián cónglái méiyǒu tīngshuōguo.

Chén Jìng de shēngrì shì shí yuè shíwǔ hào, nà shíhou Běijīng Xiāng Shān shang de hóngyè hái hěn shǎo. Chén Jìng hé nánpéngyou rènshi kuài liǎng nián le, jīnnián shì tā nánpéngyou dì-yī cì gěi tā guò shēngrì, sòng gěi tā de lǐwù zhǐ yǒu zhè piàn hóngyè. Zhè yě shì nánpéngyou sòng gěi tā de wéiyī de lǐwù. Chén Jìng shuō, nà tiān tāmen zài Xiāng Shān, nánpéngyou pěngzhe zìjǐ zhāilái de hóngyè, jiù xiàng pěngzhe zìjǐ de xīn, qǐng tā shōuxià. Tā gǎndòng de chàdiǎnr liúxiàle yǎnlèi.

Yǒu rén xiàohua Chén Jìng, shuō tā zhǎo de nánpéngyou tài xiǎoqi le, shěbude huāqián mǎi lǐwù. Kěshì Chén Jìng zìjǐ bú zhème xiǎng. Tā juéde àiqíng shì bù néng yòng qián lái biǎodá de, zhòngyào de shì nánpéngyou ài bú ài tā.

Xiāng Shān de hóngyè hónghóng de, yuányuán de, kàn shàngqù zhēn yǒu diǎnr xiàng yì kē xīn. Nánguài Chén Jìng nàme àixī, shēngpà bǎ tā nòngdiūle ne.

⚙ 根据课文回答问题
Answer the questions according to the text.
1. 陈静的生日是什么时候?
2. 陈静的男朋友送给她的生日礼物是什么?
3. 陈静和男朋友认识多长时间了?
4. 陈静男朋友送她的红叶是从哪儿摘来的?
5. 陈静收下红叶的时候, 为什么特别感动?
6. 为什么有人笑话陈静?
7. 你觉得陈静的男朋友小气吗?
8. 你觉得爱情能不能／应该不应该用钱来表达?

⚙ 讨论: 你们国家最有特色的东西有哪些? 请选出三种东西, 并说一说理由。
Discussion: What are some special or interesting things in your country? Name three of them and explain why.

语言点 Yǔyándiǎn **Language points**

❋ The 把 (bǎ) Sentence (2)

The common form of the 把 sentence is: "A 把 B + V. + Comple.(了)," in which "Comple." is usually a resultative or directional complement to the verb. For example:

1. 小心点儿，别把它弄破了。
2. 难怪陈静那么爱惜，生怕把它弄丢了呢。
3. 她把我的衣服弄脏了。
4. 老师把我的名字写错了。
5. 要是你能把这个问题说清楚，你就可以走了。
6. 我的电脑坏了，你能把它修好吗？
7. 小偷把我的钱包偷走了。
8. 我要把它记下来。
9. 请你把那本书拿过来。
10. 请大家把作业交上来。

The subject of a 把 sentence is generally an animate object, but it can also be an inanimate object with certain abilities or powers. For example:

11. 这个问题可真把我问住了。
12. 风把衣服刮掉了。
13. 孩子的话把她气坏了。

⚙ 用所给的词语造"把"字句，可以根据需要增加一些词语
Make 把 sentences with the given words. Add words as necessary.

1. 陈静　弄　自行车　丢
2. 杰克　用　电脑　坏
3. 孩子　喝　牛奶　完
4. 老师　写　我的名字　错
5. 请你　拿　那支笔　过来
6. 不可以　带　图书馆的书　回家去

❋ The 是 ... 的 (shì…de) Sentence (2)

We have learned the 是 ... 的 sentence structure (1) denoting time, place and way of an action. For example:

1. 我是昨天来的。
2. 他不是从北京来的，他是从上海来的。
3. 你是坐飞机来的，还是坐火车来的？

In this unit we are going to learn another use of the 是 ... 的 sentence structure: 是 ... 的 sentence structure (2). Between 是 and 的 is the verbal or adjectival predicate of the sentence. The whole sentence conveys the speaker's tone of assuring or attempting to convince the listener. One can use this kind of sentence to recount, describe, or comment upon a subject. This form specifically expresses an assuring mood, therefore there is no 不 + 是 ... 的 form. However, a negative expression may be placed within the 是 ... 的 form. For example:

1. 加拿大的枫叶是非常有名的。
2. 狗是很聪明的。
3. 我觉得你这样做是对的。
4. 她觉得爱情是不能用钱来表达的。
5. 这片红叶是不能送给你的。
6. 我想她是不会这样做的。
7. 上课的时候是不能睡觉的。
8. 今天是不会下雨的。

⚙ 用"是……的"句型回答问题
Answer the questions with the 是 ... 的 pattern.

1. 听说你常常喝酒？
   什么呀！我_____（从来不）。
2. 我们去吃四川菜怎么样？
   你行吗？要知道，四川菜_____（很辣）。
3. 听说他马上要结婚了？
   这_____（不可能），他还没有女朋友呢！
4. 他喜欢抽烟，我们送他香烟怎么样？
   不行。在我们国家，_____（不可以　把……当作）。

文化点 Wénhuàdiǎn **Cultural notes**

Each nation tends to endow plants with different associative meanings which may differ dramatically. Chinese people call the plum blossom, orchid, bamboo and chrysanthemum the noble "four gentlemen"; and the pine tree, bamboo and plum blossom are termed the "three friends of winter". The most beloved flowers in China are the peony, lotus, chrysanthemum and plum blossom. The peony is known as the "queen of flowers", symbolizing nobility.

Unit 2

Huāxīn Luóbo
花 心 萝 卜
Radish with a Fancy Core

学习目标
Learning objectives

* 谈论生日聚会等社交活动

  Talking about birthday parties and other social activities

* 了解抓周、红包、花心萝卜的文化含义

  Understanding the cultural meanings of *zhuazhou*, red envelopes and a "radish with a fancy core"

* 学习相关词语以及表示任指的疑问代词的用法

  Learning related words and the use of interrogative pronouns of general denotation

热身 Rèshēn **Warm up**

你的生日是哪一年？你知道自己的生肖吗？每种动物都有哪些特点？把你能想到的词语写下来。

What year were you born? What is your zodiac sign? What are the characteristics of your sign? Write what you know about your zodiac sign.

什么叫"花心萝卜"？如果一个人说你是一个"花心萝卜"，你觉得这是什么意思呢？

What does 花心萝卜 mean? If someone calls you 花心萝卜, what would you think it means?

如果你参加小朋友的生日会，会送什么礼物？你觉得男孩子和女孩子喜欢的东西一样吗？

What gift would you give to a child if you are attending his/her birthday party? Do you think a boy and a girl would like the same thing?

词语 Cíyǔ Words and Expressions

Text 1

1.	萝卜	(N.)	luóbo	radish
2.	晚会	(N.)	wǎnhuì	evening party
3.	侄子	(N.)	zhízi	nephew
4.	周岁	(N.)	zhōusuì	one full year of life; the first birthday
5.	全	(Adj.)	quán	all of sth.; the whole; complete
6.	亲戚	(N.)	qīnqi	relative
7.	祝贺	(V.)	zhùhè	congratulate
8.	主角	(N.)	zhǔjué	leading role; lead, protagonist
9.	夸	(V.)	kuā	praise; speak highly of
10.	表演	(V.)	biǎoyǎn	perform
11.	节目	(N.)	jiémù	performance
12.	大人	(N.)	dàren	adult, grown-up
13.	面前	(N.)	miànqián	(in) front of; presence
14.	抓	(V.)	zhuā	grab
15.	将来	(T.W.)	jiānglái	in the future; future
16.	有关	(V.)	yǒuguān	be related to
17.	巧克力	(N.)	qiǎokèlì	chocolate
18.	小家伙	(N.)	xiǎojiāhuo	little fellow

Text 2

19.	本来	(Adj.)	běnlái	original
20.	举行	(V.)	jǔxíng	hold (a meeting, ceremony, event)
21.	仪式	(N.)	yíshì	ceremony, rite
22.	高级	(Adj.)	gāojí	high-class, first-class

23.	长	(V.)	zhǎng	grow
24.	胖	(Adj.)	pàng	fat, plump, chubby
25.	聪明	(Adj.)	cōngmíng	clever, bright, intelligent
26.	活泼	(Adj.)	huópō	lively
27.	样子	(N.)	yàngzi	appearance, manner, air
28.	红包	(N.)	hóngbāo	red envelope (filled with money and given to sb. as a bonus, gift, reward, or donation)
29.	盒	(M.W.)	hé	box
30.	轻	(Adj.)	qīng	light
31.	情义	(N.)	qíngyì	affection; ties of friendship
32.	重	(Adj.)	zhòng	heavy, deep, serious
33.	桌子	(N.)	zhuōzi	desk, table
34.	玩具	(N.)	wánjù	toy
35.	手枪	(N.)	shǒuqiāng	pistol
36.	口红	(N.)	kǒuhóng	lipstick
37.	摸	(V.)	mō	feel, touch
38.	竟然	(Adv.)	jìngrán	unexpectedly; to one's surprise

用本课的生词填空

Fill in the blanks with the new words and expressions.

1. 你终于有了自己的公司，_____你！
2. 周五晚上，我们_____家都在一起吃饭。
3. 我们班_____有 18 个人，现在又多了一个。
4. 孩子的_____，放着很多好玩的东西。
5. 新年晚会上你打算表演什么_____啊？
6. 运动会开始的时候，要举行一个运动员入场_____。
7. 朋友的生日晚会是在一家饭店_____的。
8. 这个孩子长得又白又_____，特别可爱。
9. 第一次去见你女朋友的母亲，你怎么能送这么_____的礼物？
10. 她那么漂亮，_____还没男朋友！

他一个孩子懂什么呀？

What Does He Know as a Baby?

Jack is inviting Chen Jing to see a movie.

杰克：陈静，今天晚上有时间吗？我想请你看电影。

陈静：对不起，我今天晚上要参加一个非常重要的生日
晚会。

杰克：谁的生日那么重要？是你男朋友吗？

陈静：不是。今天是我侄子一周岁生日，我们<u>全</u>家都要
参加。

> **全** means **全部**, which can modify a noun. For example: **全国/全市/全校/全班**. **全** can also modify a verbal phrase; for instance, **同学们全走了**. In this case, **全** is equivalent to **都** in meaning.

杰克：一周岁的孩子也开生日晚会？

陈静：是啊，亲戚朋友都要去祝贺。

杰克：他一个孩子懂什么呀？

陈静：可今天他是主角，谁见了谁夸。他还要给大家表
演节目呢。

杰克：表演节目？

陈静：大人把很多东西放在孩子面前，让他抓，先抓什么，
将来他就可能喜欢做什么，或者是跟那个有关的
事。这叫抓周。

杰克：可他才一岁，什么都不懂啊。

> This expression indicates that the speaker has suddenly thought of something. It is often used in spoken language, when one wants to change the topic of a conversation.

陈静：是啊，谁也不知道他会先抓什么。

杰克：有意思。我也想参加，可以吗？

陈静：非常欢迎。不过，电影票怎么办呢？

杰克：没关系，我可以把票送给别人。<u>对了</u>，我送点儿

什么礼物给孩子呢?

陈静: 你想送什么就送什么,什么都不送也没关系。

杰克: 那怎么行? 我这儿有巧克力,不知道他喜欢不喜欢。

陈静: 肯定喜欢。小家伙儿最爱吃了。

Pinyin text

Tā Yí Gè Háizi Dǒng Shénme Ya?

Jiékè: Chén Jìng, jīntiān wǎnshang yǒu shíjiān ma? Wǒ xiǎng qǐng nǐ kàn diànyǐng.

Chén Jìng: Duìbuqǐ, wǒ jīntiān wǎnshang yào cānjiā yí gè fēicháng zhòngyào de shēngrì wǎnhuì.

Jiékè: Shéi de shēngrì nàme zhòngyào? Shì nǐ nánpéngyou ma?

Chén Jìng: Bú shì. Jīntiān shì wǒ zhízi yì zhōusuì shēngrì, wǒmen quán jiā dōu yào cānjiā.

Jiékè: Yì zhōusuì de háizi yě kāi shēngrì wǎnhuì?

Chén Jìng: Shì a, qīnqi péngyou dōu yào qù zhùhè.

Jiékè: Tā yí gè háizi dǒng shénme ya?

Chén Jìng: Kě jīntiān tā shì zhǔjué, shéi jiànle shéi kuā. Tā hái yào gěi dàjiā biǎoyǎn jiémù ne.

Jiékè: Biǎoyǎn jiémù?

Chén Jìng: Dàren bǎ hěn duō dōngxi fàng zài háizi miànqián, ràng tā zhuā, xiān zhuā shénme, jiānglái tā jiù kěnéng xǐhuan zuò shénme, huòzhě shì gēn nàge yǒuguān de shì. Zhè jiào zhuāzhōu.

Jiékè: Kě tā cái yí suì, shénme dōu bù dǒng a.

Chén Jìng: Shì a, shéi yě bù zhīdào tā huì xiān zhuā shénme.

Jiékè: Yǒu yìsi. Wǒ yě xiǎng cānjiā, kěyǐ ma?

Chén Jìng: Fēicháng huānyíng. Búguò, diànyǐngpiào zěnme bàn ne?

Jiékè: Méi guānxì, wǒ kěyǐ bǎ piào sòng gěi biéren. Duì le, wǒ sòng diǎnr shénme lǐwù gěi háizi ne?

Chén Jìng: Nǐ xiǎng sòng shénme jiù sòng shénme, shénme dōu bú sòng yě méi guānxì.

Jiékè: Nà zěnme xíng? Wǒ zhèr yǒu qiǎokèlì, bù zhīdào tā xǐhuan bù xǐhuan.

Chén Jìng: Kěndìng xǐhuan. Xiǎojiāhuo zuì ài chī le.

◎ 根据课文回答问题

Answer the questions according to the text.

1. 杰克本来要请陈静干什么？
2. 陈静今天晚上要干什么？
3. 今天是谁的生日？
4. 陈静的侄子多大了？
5. 什么是抓周？
6. 杰克打算送什么礼物给陈静的侄子？

◎ 根据课文填空

Fill in the blanks according to the text.

杰克晚上想＿＿＿＿＿＿陈静看电影，可是陈静要参加一个重要的生日＿＿＿＿＿＿，是她的侄子的一＿＿＿＿＿＿生日，他们全家和＿＿＿＿＿＿朋友都要去。不过，这个晚会的真正＿＿＿＿＿＿是小孩子，他虽然＿＿＿＿＿＿都不懂，但是要＿＿＿＿＿＿大家表演一个＿＿＿＿＿＿——抓周。抓周就是让孩子抓东西，先抓到什么，＿＿＿＿＿＿他就可能喜欢做＿＿＿＿＿＿，或者是做跟那个东西＿＿＿＿＿＿的事儿。

课文二 Kèwén Èr Text 2

一岁看到大
The Choice at One Reveals a Child's Future

今天我本来想请陈静去看电影，票已经买好了。可是陈静说，今天是她侄子的一周岁生日，要举行一个抓周仪式。我很想知道中国的抓周是怎么回事，就跟陈静一起去了。

晚会是在一家挺高级的饭店举行的。陈静的侄子长得又白又胖，特别爱笑，看上去是一个聪明、活泼的孩子，样子很可爱。参加晚会的人很多，每个人都给孩子送了红包。因为我只给孩子带了一盒巧克力，所以有点儿不好意思。但是陈静说没关系，"礼轻情义重"嘛。

> The complete version of this phrase is 千里送鹅毛，礼轻情义重. It means that the gift itself may be light as a goose feather, but the feeling is profound.

抓周开始了，大人们在桌子上放了很多东西：玩具汽车、玩具手枪、巧克力、水果、钱、书、口红，还有很多别的东西。小家伙看看这个，摸摸那个，最后抓起来的竟然是口红。大家都笑了，说：一岁看到大，这孩子将来肯定是个"花心萝卜"。

Literally, this means "a radish with a fancy core". It is a colloquial expression for a play boy.

This means that one can foresee a person's adult character by judging their behavior as a one-year-old child. Another similar expression is 三岁看到老.

Pinyin text

Yí Suì Kàndào Dà

Jīntiān wǒ běnlái xiǎng qǐng Chén Jìng qù kàn diànyǐng, piào yǐjīng mǎihǎo le. Kěshì Chén Jìng shuō, jīntiān shì tā zhízi de yì zhōusuì shēngrì, yào jǔxíng yí gè zhuāzhōu yíshì. Wǒ hěn xiǎng zhīdào Zhōngguó de zhuāzhōu shì zěnme huí shì, jiù gēn Chén Jìng yìqǐ qù le.

Wǎnhuì shì zài yì jiā tǐng gāojí de fàndiàn jǔxíng de. Chén Jìng de zhízi zhǎng de yòu bái yòu pàng, tèbié ài xiào, kàn shàngqù shì yí gè cōngmíng, huópō de háizi, yàngzi hěn kě'ài. Cānjiā wǎnhuì de rén hěn duō, měi gè rén dōu gěi háizi sòngle hóngbāo. Yīnwèi wǒ zhǐ gěi háizi dàile yì hé qiǎokèlì, suǒyǐ yǒudiǎnr bù hǎo yìsi.

Dànshì Chén Jìng shuō méi guānxì, "lǐ qīng qíngyì zhòng" ma.

Zhuāzhōu kāishǐ le, dàrenmen zài zhuōzi shang fàngle hěn duō dōngxi: Wánjù qìchē, wánjù shǒuqiāng, qiǎokèlì, shuǐguǒ, qián, shū, kǒuhóng, hái yǒu hěn duō biéde dōngxi. Xiǎojiāhuo kànkan zhège, mōmo nàge, zuìhòu zhuā qǐlái de jìngrán shì kǒuhóng. Dàjiā dōu xiào le, shuō: Yí suì kàndào dà, zhè háizi jiānglái kěndìng shì gè "huāxīn luóbo".

⚙ 根据课文回答问题

Answer the questions according to the text.

1. 杰克为什么不看电影了?
2. 陈静的侄子长得怎么样?
3. 杰克送给孩子的生日礼物是什么?他为什么有点儿不好意思?
4. 大人们在桌子上放了些什么?
5. 孩子最后抓的是什么?
6. 大家为什么说孩子将来是个"花心萝卜"?

⚙ 你觉得下面这些东西可以预示什么?如果你小时候参加这么一个"抓周"仪式的话,你估计自己会抓什么?请填写下面的表格。

What do you think the following items indicate? Suppose you were attending a 抓周 ceremony as a baby, what would you get? Please fill in the following form.

小孩子抓到的礼物	将来喜欢做什么 / 可能成为一个什么样的人
口红	化妆师 / 花心萝卜
玩具汽车	
玩具手枪	
巧克力	
钱	
书	
你自己可能会抓:	

语言点 Yǔyándiǎn Language points

❖ The Interrogative Pronouns of General Denotation

Interrogative pronouns, like 谁、什么, or 哪, can be used in declarative sentences to denote "any" person or thing. For example, 谁 refers to "anybody"; 什么 refers to "anything"; 哪里 / 哪儿 refers to "anywhere". In this capacity, these interrogative pronouns do not form questions. Furthermore, they are normally followed by 都 or 也 . For example:

1. **谁**也不知道他会先抓什么。
2. **谁**也不知道他心里是怎么想的。
3. 他**什么**都不懂。
4. 你**什么时候**走都可以。
5. 星期天我**哪儿**也不去，就在家里看书。

Note: If an interrogative pronoun is the object of a sentence, it should be placed before the verb. Compare:
6. 她懂什么呀？
7. 她什么都不懂。

Sometimes, interrogative pronouns are used in composite sentences to represent particular persons, things, qualities, manners, etc. In this case, the interrogative pronoun in the second clause should be reduplicated, and the adverb 就 is often used. For example:

1. 可今天他是主角，**谁**见了**谁**夸。
2. **谁**想去**谁**（就）去。
3. **谁**给的钱多我就卖给**谁**。
4. 你想送**什么**就送**什么**，**什么**都不送也没关系。
5. 先抓**什么**，将来他就可能喜欢做**什么**。
6. 别客气，你爱吃**什么**就吃**什么**。
7. 你**什么时候**看见她就**什么时候**告诉她。
8. 我这儿有很多书，你爱看**哪**一本就看**哪**一本。

◎ 用疑问代词回答问题
Answer the questions with interrogative pronouns.

1. 太晚了吧，饭店都关门了。
   没关系。这是一家 24 小时饭店，我们_____（什么时候 可以去）。
2. 东西找到了吗？
   能想到的地方都找了，可是_____（哪儿 没有）。
3. 这件事非常重要，你别告诉其他人。
   你放心，_____（谁 不告诉）。
4. 这些人你都认识吗？
   我刚来，_____（谁 不认识）。
5. 星期天你打算干什么？
   我_____（什么 不干），就睡觉。

⚙ 用疑问代词改写句子

Rephrase the following sentences with interrogative pronouns.

1. 明天的活动，如果张三想参加，就让张三去参加；如果李四想参加，就让李四去参加；如果王五想参加，就让王五去参加。

2. 你想今天来，就今天来；你想明天来，就明天来；你想后天来，就后天来。随便你。

3. 你想买这件就买这件，你想买那件就买那件，你自己决定。

4. 我们家很民主。孩子想读书，就让他读书；孩子想玩儿，就让他玩儿；孩子想打球，就让他打球。

5. 你说去中国，我们就去中国；你说去日本，我就去日本；你说去美国，我就去美国。听你的。

文化点 Wénhuàdiǎn **Cultural notes**

On some occasions, Chinese people may give money as a gift. The money is wrapped with a piece of red paper or placed in a little red envelope and is thus called a red envelope (红包 hóngbāo). Red envelopes are given at weddings, during the Spring Festival by elders to children or sometimes by a boss to his staff members as a holiday bonus.

Birthdays are a very important day for anyone. As Chinese people revere the custom of respecting the aged and caring for the young, birthdays of children and old people are taken more seriously as compared to others. According to tradition, on birthdays children should eat eggs and adults should eat longevity noodles. For children, the one-year-old birthday celebration can be very grand. In some places a *zhuazhou* (抓周 zhuāzhōu) will be held. As for old people, ages in multiples of ten are more important, as well a longevity birthday ceremony (做寿 zuòshòu) will usually be celebrated one year in advance. A great birthday greeting for elderly people is: May you have good fortune as immense as the East Sea and live as long as Mt. Nanshan (祝您福如东海，寿比南山！ Zhù nín fúrúdōnghǎi, shòubǐnánshān!).

Unit 3

Zhōngshì Yīngyǔ
中 式 英 语
Chinglish

学习目标

Learning objectives

* 谈论多元文化问题

  Talking about multicultural issues

* 了解汉语普通话和方言

  Getting to know about putonghua and different dialects of Chinese

* 学习相关词汇及一些固定格式,如"既……又……"、"一边……一边……"等

  Learning related words and set phrases such as 既 … 又 …, 一边 … 一边 …, etc.

你去过哪些国家旅行，这些地方有说英语的吗？在下图中填上一些国家或地区的名字。
What countries have you been to? Do the people there speak English? Fill in the following diagram.

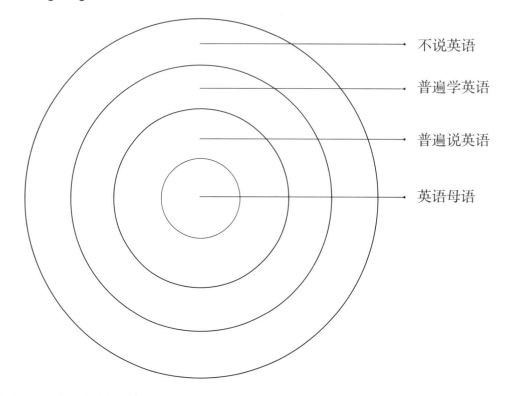

不说英语

普遍学英语

普遍说英语

英语母语

你是哪国人？你的祖籍（zǔjí, ancestral home）是哪儿？那儿的人说什么语言？
What country are you from? Where is your ancestral home? What language do the people speak there?

在你接触的人群中有华人吗？他们有什么特点？
Have you ever known any Chinese people? What were they like?

词语 Cíyǔ **Words and Expressions**

Text 1

1.	过不去	(V.)	guòbuqù	be hard on; make it difficult for
2.	帮忙	(V.)	bāngmáng	help, assist
3.	帮	(V.)	bāng	help, assist
4.	读	(V.)	dú	read
5.	篇	(M.W.)	piān	measure word for an article or text
6.	课文	(N.)	kèwén	text
7.	录	(V.)	lù	record
8.	一边…一边…		yìbiān…yìbiān…	at the same time; simultaneously
9.	而且	(Conj.)	érqiě	moreover
10.	习惯	(N., V.)	xíguàn	habit; be accustomed to
11.	口音	(N.)	kǒuyīn	accent
12.	地道	(Adj.)	dìdao	authentic, pure, idiomatic
13.	主持人	(N.)	zhǔchírén	host (of an event or banquet), TV anchorperson
14.	既…又…		jì…yòu…	both…and…; not only…, but also…
15.	奇怪	(Adj.)	qíguài	strange, odd
16.	爷爷	(N.)	yéye	paternal grandfather
17.	移民	(N., V.)	yímín	immigrant; immigrate
18.	提出	(V.)	tíchū	submit (an application), raise (a suggestion)
19.	申请	(N., V.)	shēnqǐng	application; apply
20.	移民局	(N.)	yímínjú	immigration bureau
21.	批准	(V.)	pīzhǔn	approve, ratify

Text 2

22.	总是	(Adv.)	zǒngshì	always
23.	生	(V.)	shēng	be born; give birth to
24.	中学	(N.)	zhōngxué	middle school; secondary school

25.	毕业	(V.)	bìyè	graduate
26.	实话	(N.)	shíhuà	truth
27.	情况	(N.)	qíngkuàng	situation, condition, circumstance
28.	原因	(N.)	yuányīn	cause, reason
29.	简单	(Adj.)	jiǎndān	simple
30.	祖先	(N.)	zǔxiān	ancestor
31.	世界	(N.)	shìjiè	world
32.	正常	(Adj.)	zhèngcháng	normal, regular
33.	也许	(Adv.)	yěxǔ	maybe, perhaps
34.	其实	(Adv.)	qíshí	actually; in fact
35.	基本	(Adj.)	jīběn	basic, fundamental, elementary
36.	说不定		shuōbudìng	perhaps, maybe
37.	变成		biànchéng	become; turn into
38.	方言	(N.)	fāngyán	dialect

Proper nouns

| 1. | 意大利 | Yìdàlì | | Italy |
| 2. | 法裔 | Fǎyì | | people of French origin |

⚙ **用本课的生词填空**

Fill in the blanks with the new words and expressions.

1. 我想请你_____我一个_____，把这篇课文翻译成英语。
2. 刚到一个地方总会感到不习惯，这是很_____的。
3. 说实话，我是第一次来这儿，对这儿的天气还不太_____。
4. 他不是北京人，但是能说一口_____的北京话。
5. 他得到了移民局的_____，拿到了绿卡。
6. 我跟她说我去过英国，_____我没去过。
7. 七年来，她一共_____了五个孩子。
8. 中学毕业以后我们就没见过面，我对她这几年的_____不太清楚。
9. 他说的话我_____上都能听明白。
10. 你别_____看电视，也该干点别的。

别跟自己过不去
Don't Be Too Hard on Yourself

Bai Xiaohong is asking Jiang Shan to help her study English.

白小红：江山，帮个忙怎么样？

江　山：没问题，需要我做什么？

白小红：帮我读几篇课文。

江　山：什么？让我帮你读课文？

白小红：是啊，我想请你帮我把课文录下来，我一边听
　　　　一边学。

江　山：为什么？

白小红：是这样的，我在中国学的是英式英语，而且学
　　　　得不好，特别是发音，差不多就是"中式英语"。

江　山：你的英语很好听啊，我已经越来越习惯你的发
　　　　音了。

白小红：我的口音太重了。我要像你一样，
　　　　说一口地道的美式英语。

> The word 重 denotes a high degree. 口音重 means a "thick or strong accent".

江　山：那你应该跟电视节目的主持人学。我的英语也
　　　　有口音——既有法语口音，又有意大利语口音。

白小红：怎么会这样呢？

江　山：这不奇怪。我爷爷是意大利人，我妈妈是法裔，
　　　　我刚到美国三年。

白小红：这可真有意思！

> This means 有很多有意思的事儿. In spoken language, ...着呢 is used to emphasize a tone of assurance or persuasion.

江　山：有意思的事儿多着呢。听说你想移民？

白小红：是啊，我已经提出了申请，可是不知道移民局什么时候能批准。

江　山：应该很快吧！

白小红：所以我想早点儿学会标准的美式英语，越早越好。

江　山：连我这个美国人说的都不是标准的美式英语，你为什么一定要说标准的美式英语呢？我觉得你说的话别人能听懂就行了。

白小红：可是……

江　山：别"可是"了。你的英语又流利又好听，你别跟自己过不去了。

> 跟自己过不去 means "to be too hard on oneself", which indicates setting a goal or a demand for oneself that is too difficult to reach.

Pinyin text

Bié Gēn Zìjǐ Guòbuqù

Bái Xiǎohóng: Jiāng Shān, bāng gè máng zěnmeyàng?

Jiāng Shān: Méi wèntí, xūyào wǒ zuò shénme?

Bái Xiǎohóng: Bāng wǒ dú jǐ piān kèwén.

Jiāng Shān: Shénme? Ràng wǒ bāng nǐ dú kèwén?

Bái Xiǎohóng: Shì a, wǒ xiǎng qǐng nǐ bāng wǒ bǎ kèwén lù xiàlái, wǒ yìbiān tīng yìbiān xué.

Jiāng Shān: Wèi shénme?

Bái Xiǎohóng: Shì zhèyàng de, wǒ zài Zhōngguó xué de shì Yīngshì Yīngyǔ, érqiě xué de bù hǎo, tèbié shì fāyīn, chàbuduō jiùshì "Zhōngshì Yīngyǔ".

Jiāng Shān: Nǐ de Yīngyǔ hěn hǎotīng a, wǒ yǐjīng yuèláiyuè xíguàn nǐ de fāyīn le.

Bái Xiǎohóng: Wǒ de kǒuyīn tài zhòng le. Wǒ yào xiàng nǐ yíyàng, shuō yì kǒu dìdao de Měishì Yīngyǔ.

Jiāng Shān: Nà nǐ yīnggāi gēn diànshì jiémù de zhǔchírén xué. Wǒ de Yīngyǔ yě yǒu kǒuyīn—jì yǒu Fǎguó kǒuyīn, yòu yǒu Yìdàlìyǔ kǒuyīn.

Bái Xiǎohóng: Zěnme huì zhèyàng ne?

Jiāng Shān: Zhè bù qíguài. Wǒ yéye shì Yìdàlìrén, wǒ māma shì Fǎyì, wǒ gāng dào

Měiguó sān nián.

Bái Xiǎohóng: Zhè kě zhēn yǒuyìsi!

Jiāng Shān: Yǒu yìsi de shìr duō zhene. Tīngshuō nǐ xiǎng yímín?

Bái Xiǎohóng: Shì a, wǒ yǐjīng tíchūle shēnqǐng, kěshì bù zhīdào yímínjú shénme shíhou néng pīzhǔn.

Jiāng Shān: Yīnggāi hěn kuài ba!

Bái Xiǎohóng: Suǒyǐ wǒ xiǎng zǎo diǎnr xuéhuì biāozhǔn de Měishì Yīngyǔ, yuè zǎo yuè hǎo.

Jiāng Shān: Lián wǒ zhège Měiguórén shuō de dōu bú shì biāozhǔn de Měishì Yīngyǔ, nǐ wèi shénme yídìng yào shuō biāozhǔn de Měishì Yīngyǔ ne? Wǒ juéde nǐ shuō de huà biéren néng tīngdǒng jiù xíng le.

Bái Xiǎohóng: Kěshì⋯

Jiāng Shān: Bié "kěshì" le. Nǐ de Yīngyǔ yòu liúlì yòu hǎotīng, nǐ bié gēn zìjǐ guòbuqù le.

⚙ 根据课文回答问题

Answer the questions according to the text.

1. 白小红请江山帮什么忙?
2. 白小红为什么请江山帮忙?
3. 江山为什么不帮白小红?
4. 白小红为什么想早点儿学会标准的美式英语?
5. 江山为什么说白小红是"跟自己过不去"?

⚙ 根据课文填空

Fill in the blanks accoding to the text.

白小红觉得自己的英语_____太重了,来美国后想说一口_____的美式英语。她想请江山_____读几篇课文,这样她就可以把课文录_____,一边听一边学。可是,江山建议白小红应该跟电视节目的_____学,因为他自己的英语_____有法语口音又有意大利语口音,也不标准。江山觉得,_____他这个美国人说的英语都不标准,为什么白小红一定要说得那么标准呢?说得不标准没关系,只要别人_____就行了。

英语"普通话"

English "Putonghua"

　　白小红真奇怪，总是想着要学标准的美式英语。每天跟着CNN的主持人学还不够，还要跟我学。

　　我生在加拿大，长在加拿大，中学毕业以后才到美国来。我说的英语既不是地道的美式英语，又不是标准的加拿大英语——说实话，我也不知道什么是标准的美式英语。我说

> This means "to tell the truth". Similar expressions include: 说实在话 and 说老实话.

的英语有法语口音，也有意大利语口音。很多人的情况跟我差不多。白小红问我为什么，原因很简单：加拿大和美国都是移民国家，很多人自己或者他们的父母、祖先都是从世界各个地方移民过来的，不过有的来得早一点儿，有的来得晚一点儿，说话有自己母语的口音是很正常的。

　　白小红是从中国来的。也许因为中国有普通话，所以她总是想学习"英语普通话"。其实，她说的英语挺好听的，我基本上都能听懂。现在从中国来的移民越来越多，说不定将来他们说的英语会变成英语的一种方言呢。

他说的我也能听懂。

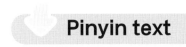

Yīngyǔ "Pǔtōnghuà"

Bái Xiǎohóng zhēn qíguài, zǒngshì xiǎngzhe yào xué biāozhǔn de Měishì Yīngyǔ. Měi tiān gēnzhe CNN de zhǔchírén xué hái búgòu, hái yào gēn wǒ xué.

Wǒ shēng zài Jiānádà, zhǎng zài Jiānádà, zhōngxué bìyè yǐhòu cái dào Měiguó lái. Wǒ shuō de Yīngyǔ jì bú shì dìdao de Měishì Yīngyǔ, yòu bú shì biāozhǔn de Jiānádà Yīngyǔ—shuō shíhuà, wǒ yě bù zhīdào shénme shì biāozhǔn de Měishì Yīngyǔ. Wǒ shuō de Yīngyǔ yǒu Fǎguó kǒuyīn, yě yǒu Yìdàlìyǔ kǒuyīn. Hěn duō rén de qíngkuàng gēn wǒ chàbuduō. Bái Xiǎohóng wèn wǒ wèi shénme, yuányīn hěn jiǎndān: Jiānádà hé Měiguó dōu shì yímín guójiā, hěn duō rén zìjǐ huòzhě tāmen de fùmǔ, zǔxiān dōu shì cóng shìjiè gè gè dìfang yímín guòlái de, búguò yǒu de lái de zǎo yìdiǎnr, yǒu de lái de wǎn yìdiánr, shuōhuà yǒu zìjǐ mǔyǔ de kǒuyīn shì hěn zhèngcháng de.

Bái Xiǎohóng shì cóng Zhōngguó lái de. Yěxǔ yīnwèi Zhōngguó yǒu Pǔtōnghuà, suǒyǐ tā zǒngshì xiǎng xuéxí "Yīngyǔ Pǔtōnghuà". Qíshí, tā shuō de Yīngyǔ tǐng hǎotīng de, wǒ jīběnshang dōu néng tīngdǒng. Xiànzài cóng Zhōngguó lái de yímín yuèláiyuè duō, shuōbudìng jiānglái tāmen shuō de Yīngyǔ huì biànchéng Yīngyǔ de yì zhǒng fāngyán ne.

⚙ **根据课文回答问题**
Answer the questions according to the text.
1. 江山的英语怎么样?
2. 为什么说加拿大和美国都是移民国家?
3. 白小红的英语怎么样?
4. 江山为什么说"中式英语"将来可能变成英语的一种方言?

⚙ **连线：为名词选择合适的量词**
Matching exercise: choose the proper measure words for nouns.

一种	中学
一所	方言
一把	课文
一份	红叶
一对	申请
一盒	父母
一片	手枪
一口	巧克力
一篇	流利的普通话

⚙ 讨论：你觉得世界各地的华人说的汉语有区别吗？你觉得学习外语一定要说得很标准吗？
Discussion: Do you think Chinese people all over the world speak the same language? Do you think a foreign language should be spoken like a native one?

语言点 Yǔyándiǎn **Language points**

✛ Some Regular Patterns

There are a number of frequently used regular patterns in Chinese. We have learned the following five patterns:

> **既……又……**
> both…and…; not only…, but also…

This structure connects two predicates which may be separated by a comma or a pause. For example:

1. 我的英语也有口音——既有法语口音，又有意大利语口音。
2. 我说的英语既不是地道的美式英语，又不是标准的加拿大英语。
3. 她太忙了，既要学汉语，又要去打工。
4. 她既会说英语又会说法语。

A variation of this pattern is 又 … 又 ….

It mainly connects two adjectives, usually allowing no pause or break between them. For example:

1. 你的英语又流利又好听。
2. 陈静的侄子长得又白又胖。（第 2 单元）
3. 今年的苹果又大又便宜。
4. 马丁的汉语说得又标准又流利。
5. 他又喜欢打球，又喜欢游泳。

⚙ 用"既……又……"或"又……又……"格式完成句子
Complete the sentences with 既 … 又 … or 又 … 又 ….

1. 想要学好汉语，我们＿＿＿＿＿＿＿＿＿，＿＿＿＿＿＿＿＿＿。
2. 这部电影很不错，＿＿＿＿＿＿＿＿＿，＿＿＿＿＿＿＿＿＿。
3. 那个饭店的菜＿＿＿＿＿＿＿＿＿，难吃极了。
4. 那里的冬天＿＿＿＿＿＿＿＿＿，我很想去那里旅行。

一边······一边······
while; as

This structure denotes two actions occuring simultaneously. It can be simplified as 边 … 边 …. For example:

1. 我想请你帮我把课文录下来，我一边听一边学。
2. 她一边吃饭，一边看电视。
3. 上课的时候，你要一边听，一边记。
4. 来，咱们边吃边谈。

⚙ 用"一边······一边······"格式完成句子
Complete the sentences with 一边 … 一边 ….

1. 回到家里，我喜欢＿＿＿＿＿＿。
2. 他上大学的时候，＿＿＿＿＿＿。
3. 上课的时候，不能＿＿＿＿＿＿。
4. 到吃饭的时间了，走，我们去餐厅＿＿＿＿＿＿。

越······越······
the more..., the more

This pattern suggests a relationship between the two actions or states denoted in the predicates; it denotes the change in or the development of the actions. For example:

1. 所以我想早点儿学会标准的美式英语，越早越好。
2. 这件事我越想越生气。
3. 这片红叶真漂亮，我越看越喜欢。
4. 你越不让他去，他越想去。

A variation of this pattern is 越来越 … (more and more…). For example:

1. 我已经越来越习惯你的发音了。
2. 现在从中国来的移民越来越多。
3. 冬天来了，天气越来越冷。
4. 马丁的汉语说得越来越流利。

⚙ 用"越······越······"格式完成句子
Complete the sentences with 越 … 越 ….

1. 雨＿＿＿＿＿＿，没办法开车了。
2. 车＿＿＿＿＿＿，很快就看不见了。
3. 经过一个学期的学习，他的汉语＿＿＿＿＿＿。
4. 天气＿＿＿＿＿＿，感冒的人＿＿＿＿＿＿。

连……都 / 也……
even

This is an emphatic construction. 连 intensifies a statement by introducing or describing an extreme case, thus making a point more believable. For example:

1. 连我这个美国人说的都不是标准的美式英语。
2. 这个问题连老师也不会。（问题非常难，学生当然不会）
3. 这个问题连三岁的孩子也知道怎么回答。（问题非常容易）
4. 她工作很努力，就连星期天也不休息。（她每天都工作）
5. 她连中国在哪儿都不知道。（她太不了解中国了）

⚙ 用"连……都 / 也……"格式完成句子
Complete the sentences with 连 … 都 / 也 ….

1. 他太忙了，_____。
2. 这道题太简单了，_____。
3. 他对学生要求非常严格，_____。
4. 他对中国特别熟悉，_____。

文化点 Wénhuàdiǎn Cultural notes

China is a vast nation and each region has its own customs and various spoken languages. Generally, there are seven main geographical dialects in China: Northern, Wu, Hunan, Jiangxi, Hakka, Fujian and Cantonese. Beijinghua is a representative of Northern dialect, Shanghaihua belongs to Wu dialect and Guangdonghua belongs to Cantonese dialect.

Great differences also exist within each region's dialect. In some mountainous areas in the south, people of different towns in the same county may speak very differently. For this reason, it is better to speak putonghua to communicate with people from other places. Putonghua is based on the Northern dialect but is not totally the same.

With the development of China's economy, putonghua is becoming more and more popular; in the meantime, it is becoming much important to protect the various dialects.

Unit 4

Gè Yǒu Suǒ Ài
各 有 所 爱
Each Has His Own Likes

学习目标
Learning objectives

* 谈论体育运动和爱好

  Talking about sports and hobbies

* 了解不同国家和地区流行的体育运动

  Getting to know about popular sports in different countries and regions

* 学习相关词汇及修辞问句"难道……"、"不是……吗"、"能不……吗"等

  Learning related words and rhetorical questions starting with 难道 …；不是 … 吗；and 能不 … 吗

这些是什么运动？你喜欢哪些运动？你觉得中国人更喜欢哪些运动？

What sports are these? What kinds of sports do you like? What kinds of sports do you think Chinese people may like?

你认识这些人吗？他们在哪支球队打过球？你最喜欢的运动员是谁？

Do you know these people? What team did they play for? Who is your favorite athlete?

问一问你的同学喜欢什么运动，填在下面的表格里，然后说说你觉得谁的爱好最酷。

Ask your classmates about their favorite sports and fill in the following form. Then talk about whose favorite sport is the coolest one.

姓名	喜欢的运动	酷

词语 Cíyǔ Words and Expressions

Text 1

1.	球赛	(N.)	qiúsài	ballgame, match
2.	转播	(V.)	zhuǎnbō	televise, broadcast
3.	乒乓球	(N.)	pīngpāngqiú	table tennis
4.	比赛	(N., V.)	bǐsài	game, match; compete
5.	篮球	(N.)	lánqiú	basketball
6.	原来	(Adv., Adj.)	yuánlái	originally, at first; original
7.	球队	(N.)	qiúduì	(ball) team
8.	球星	(N.)	qiúxīng	star (ball) player
9.	老	(Adj.)	lǎo	old
10.	迷	(V., N.)	mí	be addicted; fan
11.	只要	(Conj.)	zhǐyào	so long as; provided that
12.	难道	(Adv.)	nándào	is it possible that…; could it be that…
13.	普通	(Adj.)	pǔtōng	common, ordinary
14.	比如（说）		bǐrú(shuō)	for example; for instance; such as
15.	不管	(Conj.)	bùguǎn	no matter (what, how, etc.); regardless of
16.	水平	(N.)	shuǐpíng	level, standard
17.	发明	(N., V.)	fāmíng	invention; invent
18.	留学	(V.)	liúxué	study abroad
19.	为了	(Prep.)	wèile	in order to; for the sake of; for
20.	完成	(V.)	wánchéng	complete, accomplish, fulfill
21.	体育	(N.)	tǐyù	physical education
22.	作业	(N.)	zuòyè	homework, assignment

Text 2

23.	久	(Adj.)	jiǔ	for a long time; long
24.	联系	(V.)	liánxì	contact; communicate with

25.	老是	(Adv.)	lǎoshì	always
26.	愿意	(V.)	yuànyì	be willing to; be ready to do sth.; want to
27.	拒绝	(V.)	jùjué	refuse, decline; turn down
28.	经常	(Adv.)	jīngcháng	often
29.	青菜	(N.)	qīngcài	green vegetables
30.	爱好	(N., V.)	àihào	hobby; be fond of
31.	矮	(Adj.)	ǎi	short (in stature)
32.	球场	(N.)	qiúchǎng	field, court
33.	冰球	(N.)	bīngqiú	ice hockey
34.	偶尔	(Adv.)	ǒu'ěr	occasionally; once in a while
35.	游泳	(V.O.)	yóuyǒng	swim
36.	踢	(V.)	tī	kick
37.	足球	(N.)	zúqiú	soccer

Proper nouns

1. 芝加哥公牛队	Zhījiāgē Gōngniú Duì	Chicago Bulls
2. 华盛顿奇才队	Huáshèngdùn Qícái Duì	Washington Wizards
3. 乔丹	Qiáodān	Michael Jordan
4. 奥尼尔	Àoní'ěr	Shaquille O'Neal
5. 詹姆斯·奈史密斯	Zhānmǔsī Nàishǐmìsī	James Naismith

⚙ **用本课的生词填空**

Fill in the blanks with the new words and expressions.

1. 我们一起观看了一场乒乓球比赛的电视_____。
2. 他_____是一个教师，后来开了一家公司，做老板了。
3. _____是谁，都得遵守法律。
4. 我是个篮球迷，_____有篮球比赛，我就一定会看。
5. 那儿的冬天一般都很暖和，_____会下一点儿小雪。
6. _____完成这份作业，我昨天晚上只睡了三个小时。
7. 我们都愿意帮助他，可是他_____了，他觉得自己能行。
8. 以后我们可能很少见面了，我们电话_____吧！
9. 他个子太_____，不适合打篮球。
10. 他最大的爱好就是_____足球。

这有什么不明白的?

What Don't You Understand?

Ding Hansheng is watching a televised ping-pong match when Jiang Shan enters.

丁汉生: 江山,你不是喜欢看球赛吗? 快来,电视正在转播呢。

江　山: 乒乓球比赛有什么好看的?

丁汉生: 那你爱看什么球?

江　山: 当然是篮球了,NBA!

丁汉生: 那你最喜欢……?

江　山: 原来是芝加哥公牛队,现在是华盛顿奇才队。

丁汉生: 我说的不是球队,是球星。你最喜欢哪个球星?

江　山: 乔丹。当然,他现在好像真的老了。

丁汉生: 还有呢?

江　山: 奥尼尔,从中国来的几个队员也不错。

丁汉生: 看来你真是个篮球迷。

江　山: 那当然。我从小就迷上了篮球,只要有篮球比赛,我就看。

丁汉生: 难道普通的篮球比赛,比如说两个大学的球队比赛,你也看吗?

江　山: 看。不管什么水平的篮球比赛,只要看得到,我都看。

丁汉生: 我真不明白,你为什么那么喜欢篮球?

江　山: 这有什么不明白的? 篮球是美国人最喜欢的运

动，又是在美国发明的，我能不喜欢吗？

丁汉生：可我听说，篮球是加拿大人詹姆斯·奈史密斯发明的。

江　山：但是他发明篮球的时候，正在美国留学。他发明篮球是为了完成体育课的作业。

丁汉生：原来是这样。难怪你这么喜欢篮球。

原来 here denotes the discovery, comprehension, or sudden realization of a certain situation that one previously didn't know about.

Pinyin text

Zhè Yǒu Shénme Bù Míngbai De?

Dīng Hànshēng: Jiāng Shān, nǐ bú shì xǐhuan kàn qiúsài ma? Kuài lái, diànshì zhèngzài zhuǎnbō ne.

Jiāng Shān: Pīngpāngqiú bǐsài yǒu shénme hǎo kàn de?

Dīng Hànshēng: Nà nǐ ài kàn shénme qiú?

Jiāng Shān: Dāngrán shì lánqiú le, NBA !

Dīng Hànshēng: Nà nǐ zuì xǐhuan···?

Jiāng Shān: Yuánlái shì Zhījiāgē Gōngniú Duì, xiànzài shì Huáshèngdùn Qícái Duì.

Dīng Hànshēng: Wǒ shuō de bú shì qiúduì, shì qiúxīng. Nǐ zuì xǐhuan nǎge qiúxīng?

Jiāng Shān: Qiáodān. Dāngrán, tā xiànzài hǎoxiàng zhēnde lǎo le.

Dīng Hànshēng: Hái yǒu ne?

Jiāng Shān: Àoní'ěr, cóng Zhōngguó lái de jǐ gè duìyuán yě búcuò.

Dīng Hànshēng: Kànlái nǐ zhēn shì gè lánqiúmí.

Jiāng Shān: Nà dāngrán. Wǒ cóng xiǎo jiù míshàngle lánqiú, zhǐyào yǒu lánqiú bǐsài, wǒ jiù kàn.

Dīng Hànshēng: Nándào pǔtōng de lánqiú bǐsài, bǐrú shuō liǎng gè dàxué de qiúduì bǐsài, nǐ yě kàn ma?

Jiāng Shān: Kàn. Bùguǎn shénme shuǐpíng de lánqiú bǐsài, zhǐyào kàn de dào, wǒ dōu kàn.

Dīng Hànshēng: Wǒ zhēn bù míngbai, nǐ wèi shénme nàme xǐhuan lánqiú?

Jiāng Shān: Zhè yǒu shénme bù míngbai de? Lánqiú shì Měiguórén zuì xǐhuan de yùndòng, yòu shì zài Měiguó fāmíng de, wǒ néng bù xǐhuan ma?

Dīng Hànshēng: Kě wǒ tīngshuō, lánqiú shì Jiānádàrén Zhānmǔsī Nàishǐmìsī fāmíng de.

Jiāng Shān: Dànshì tā fāmíng lánqiú de shíhou, zhèngzài Měiguó liúxué. Tā fāmíng lánqiú shì wèile wánchéng tǐyù kè de zuòyè.

Dīng Hànshēng: Yuánlái shì zhèyàng. Nánguài nǐ zhème xǐhuan lánqiú.

⚙ **根据课文回答问题**

Answer the questions according to the text.

1. 丁汉生在看什么球赛？
2. 江山喜欢哪个球队？
3. 江山觉得乔丹怎么样？
4. 江山以前喜欢篮球吗？
5. 江山喜欢看什么样的篮球比赛？
6. 江山为什么那么喜欢篮球？
7. 篮球是怎么发明的？

⚙ **根据课文填空**

Fill in the blanks according to the text.

丁汉生正在看电视_____的乒乓球比赛，他叫江山过去看，不过江山觉得乒乓球比赛_____什么好看的。江山最爱看篮球比赛，_____最喜欢芝加哥公牛队，_____是华盛顿奇才队。江山是个篮球_____，从小就_____了篮球，_____有篮球比赛，他就看。_____什么水平的篮球比赛，只要能看_____，他都看。江山说，篮球是美国人最喜欢的运动，又是在美国_____的，他是个美国人，当然喜欢篮球了。

⚙ **用下面的提纲说一说你喜欢的体育运动**

Use the outline below to introduce your favorite sports.

大家好，我是一个……迷

我最爱……了

我最喜欢的球队／球员是……

我喜欢……，也喜欢看……比赛

只要……我就……

我们国家很多人都喜欢……

萝卜青菜，各有所爱

Radish or Vegetable, to Each His Own

好久没有和江山联系了，挺想他的。

他是我的好朋友，以前他老是请我跟他一起去玩儿，我从来没有去过，所以他很生气。可我有什么办法？如果没有特别的原因，谁愿意拒绝朋友呢？但是，就像中国人经常说的那样，"萝卜青菜，各有所爱"。我们的爱好不一样，玩不到一起去。

> This means that while some people like to eat radishes, others like to eat green vegetables. In other words, everyone has their own likes and dislikes.

江山很喜欢打篮球，可是，我太矮，上了球场恐怕连球都

> This means that there are no shared interests between persons with regards to "playing".

摸不到；江山还很喜欢打冰球、滑雪，可我从小在中国南方长大，连雪的样子都没见过，怎么可能会滑雪、打冰球呢？

当然，有时候我请他跟我一起去玩儿，他也不去，因为我喜欢的运动他不喜欢。比如说乒乓球，他就老是说没意思。我不明白，乒乓球不也是球吗，怎么没有意思？

我们偶尔也会一起去玩儿：有时候去游泳，有时候去踢足球。不过，他的足球没有我踢得好。

> This means, 他踢足球没有我踢得好 or 我踢足球比他踢得好. For example, 我的汉语没有他说得流利.

Pinyin text

Luóbo Qīngcài, Gè Yǒu Suǒ Ài

Hǎo jiǔ méiyǒu hé Jiāng Shān liánxì le, tǐng xiǎng tā de.

Tā shì wǒ de hǎopéngyou, yǐqián tā lǎoshi qǐng wǒ gēn tā yìqǐ qù wánr, wǒ cónglái méiyǒu qùguo, suǒyǐ tā hěn shēngqì. Kě wǒ yǒu shénme bànfǎ? Rúguǒ méiyǒu tèbié de yuányīn, shéi yuànyì jùjué péngyou ne? Dànshì, jiù xiàng Zhōngguórén jīngcháng shuō de nàyàng, "luóbo qīngcài, gè yǒu suǒ ài". Wǒmen de àihào bù yíyàng, wánbudào yìqǐ qù.

Jiāng Shān hěn xǐhuan dǎ lánqiú, kěshì, wǒ tài ǎi, shàngle qiúchǎng kǒngpà lián qiú dōu mōbudào; Jiāng Shān hái hěn xǐhuan dǎ bīngqiú, huáxuě, kě wǒ cóng xiǎo zài Zhōngguó nánfāng zhǎngdà, lián xuě de yàngzi dōu méi jiànguo, zěnme kěnéng huì huáxuě, dǎ bīngqiú ne?

Dāngrán, yǒu shíhou wǒ qǐng tā gēn wǒ yìqǐ qù wánr, tā yě bú qù, yīnwèi wǒ xǐhuan de yùndòng tā bù xǐhuan. Bǐrú shuō pīngpāngqiú, tā jiù lǎoshi shuō méi yìsi. Wǒ bù míngbai, pīngpāngqiú bú yě shì qiú ma, zěnme méiyǒu yìsi?

Wǒmen ǒu'ěr yě huì yìqǐ qù wánr: Yǒu shíhou qù yóuyǒng, yǒu shíhou qù tī zúqiú. Búguò, tā de zúqiú méiyǒu wǒ tī de hǎo.

⚙ **根据课文回答问题**
Answer the questions according to the text.
1. 江山为什么生"我"的气?
2. "我"为什么拒绝江山?
3. 江山喜欢什么?
4. "我"喜欢什么?
5. "我"和江山有没有一样的爱好?
6. 你认为"我"和江山,谁的乒乓球打得好?

⚙ 每个人喜欢的运动都不太一样,你觉得有意思的,别人可能觉得没意思。采访一位同学,看看他是怎么看待这些运动的。
Everyone likes different sports. What you like may not be what others like. Interview a classmate about their opinions on the following sports.

运动	很不喜欢 不喜欢 说不清楚 喜欢 最喜欢	为什么？
足球		
篮球		
排球		
乒乓球		
游泳		
……		

语言点 Yǔyándiǎn Language points

✤ The Rhetorical Question

Sometimes, a speaker may use the interrogative sentence form to indicate a clear and definite meaning; this is called a *rhetorical question*. The affirmative structure can be used to convey a negative meaning, and the negative structure can be used to convey an affirmative meaning. For example:

1. 可我有什么办法？（我没有办法）
2. 谁愿意拒绝朋友呢？（谁都不愿意拒绝朋友）
3. 我从小在中国南方长大，连雪的样子都没见过，怎么可能会滑雪、打冰球呢？（我当然不会滑雪、打冰球）
4. 你每天都跟她在一起，怎么会不知道她的地址？（你应该知道她的地址）

⚙ 根据要求改写句子

Rephrase the following sentences as required.

1. 我是一个学生，我当然没有钱。 → _____（怎么）
2. 我没学过汉语，当然不会说。 → _____（怎么）
3. 我觉得没有人会喜欢一个人旅行。→ _____（谁）
4. 这世界上没有免费的午餐。 → _____（哪儿）

The following four rhetorical question forms are the most frequently used:

> **难道……（吗）？**

This means, "Is it possible that…?" or "Could it possibly be that…?" For example:

1. 难道普通的篮球比赛，比如说两个大学的球队比赛，你也看吗？
2. 难道你也不知道这件事吗？
3. 为什么要我给你拿？难道你自己不能拿吗？
4. 难道你也喜欢喝白酒？

◎ 用"难道"完成句子

Complete the sentences with 难道.

1. 今天怎么没有人来上课? _____?

2. 都八点半了,你怎么还不起床? _____?

3. 你自己的衣服自己不洗, _____?

4. 我只是随便看看, _____?

不是……吗?

This prompts an affirmation, thus drawing the listener's attention. Sometimes it voices surprise or discontentment. For example:

1. 你不是喜欢看球赛吗?

2. 你看,那不是小王吗?

3. 你不是已经回家了吗? 怎么还在这儿? (surprise)

4. 这个词老师不是已经讲过了吗? 你怎么还不明白? (discontentment)

Sometimes, the adverbs 也 or 都 may be placed before 是. For example:

5. 我不明白,乒乓球不也是球吗?

6. 乒乓球、足球,不都是球吗?

◎ 用"不是……吗"完成句子

Complete the sentences with 不是 … 吗.

1. 你是中国人,怎么不会打乒乓球? _____?

2. 今天 _____? 你怎么还要去上课?

3. _____, 以后不要再给我打电话,你怎么还打?

4. _____? 我特意给你买了一些有关中药的书。

有什么……(的)?

This indicates a strongly voiced negation, and is usually followed by an adjectival phrase. For example:

1. 乒乓球比赛有什么好看的?

2. 这有什么好笑的?

3. 这有什么不明白的?

4. 这有什么不好意思的?

◎ 用"有什么……(的)"完成对话

Complete the dialogues with 有什么 …(的).

1. 我在打电脑游戏。

_____? 我们去打球吧。

2. 乒乓球我恐怕学不会。

_____? 一学就会。

3. 在这么多人面前唱歌，有点儿不好意思。

_____？你就唱吧。

4. 什么？！你会打太极拳？

_____？我在中国学过。

能不……吗？

It indicates the certainty or the impossibility of a negative action or a negative state. For example:

1. 篮球是美国人最喜欢的运动，又是在美国发明的，我能不喜欢吗？
2. 你这么做，她能不生气吗？
3. 这是她男朋友送给她的礼物，她能不爱惜吗？
4. 这么重要的约会，她能不去吗？

The "能 + V. + 得 + Comple." structure means "V.+ 不 + Comple." For example:

5. 像你这样不好好学习，能学得好吗？（学不好）

⚙ 用"能不……吗"完成句子
Complete the sentences with 能不 ... 吗.

1. 女朋友送给我的礼物，_____？
2. 老师请我去吃饭，_____？
3. 不要钱送你一个新手机，_____？
4. 他学习这么努力，_____？

文化点 Wénhuàdiǎn Cultural notes

No matter where you are from, sports are an indispensable element in life. Every country has a favorite sport. For instance, Americans prefer football and Brazilians love soccer. As for Chinese people, they like table tennis, which is a national game.

There are many other favorite forms of entertainment in China: Taichi, Chinese chess, cards, Mahjong, etc. If possible, you may learn them from Chinese people, which is a great way to enrich your life and further understand the Chinese culture.

Unit 5

Zhǎobuzháo Běi
找 不 着 北
Getting Lost

学习目标
Learning objectives

* 谈论旅行

  Talking about travel

* 了解中国的城乡

  Understanding Chinese cities and the countryside

* 学习相关词汇及可能补语 "– 了 (liǎo)"、"– 着 (zháo)" 等

  Learning related words and the potential complement, ~着 , ~了 etc.

热身 Rèshēn **Warm up**

如果去中国旅行的话，你觉得要带些什么东西呢？下面的这些东西要不要带？

What would you bring if you are going to travel in China? Go through the following checklist.

☑ 护照 (passport)　　□ 信用卡　　　□ 现金　　　□ 驾驶证

□ 毛巾　　　　　　　□ 卫生纸　　　□ 牙膏　　　□ 牙刷

□ 照相机　　　　　　□ 电脑　　　　□ 手机　　　□ 电源转换插头

和同学们讨论一下，旅行时还有什么要带的东西？请写在下面。

Discuss with your classmates about what else you should bring and write them down.

猜一猜，这是中国的哪儿？

Guess where the following pictures were taken in China.

你去中国旅行过吗？都去了哪儿？

Have you ever traveled in China? Where have you been?

词语 Cíyǔ Words and Expressions

Text 1

1.	– 着	(V.)	-zháo	succeed in (used as a complement to another verb)
2.	收拾	(V.)	shōushi	get things ready; pack
3.	行李	(N.)	xíngli	luggage, baggage
4.	毛巾	(N.)	máojīn	towel
5.	牙膏	(N.)	yágāo	toothpaste
6.	卫生纸	(N.)	wèishēngzhǐ	toilet paper
7.	包	(N.)	bāo	bag, sack
8.	装	(V.)	zhuāng	pack, contain, load
9.	– 了	(V.)	-liǎo	(used after a verb plus 得 or 不 to indicate an affirmative or negative potential result)
10.	根本	(N., Adv., Adj.)	gēnběn	base; after all; fundamental
11.	准备	(N., V.)	zhǔnbèi	preparation; prepare
12.	…之类		…zhīlèi	and so on
13.	日用品	(N.)	rìyòngpǐn	article of daily use
14.	牙刷	(N.)	yáshuā	toothbrush
15.	名牌	(N.)	míngpái	famous brand
16.	发达	(Adj.)	fādá	developed, flourishing
17.	包括	(V.)	bāokuò	include
18.	除非	(Conj.)	chúfēi	unless
19.	商场	(N.)	shāngchǎng	shopping mall
20.	超市	(N.)	chāoshì	supermarket (abbreviation of 超级市场)

Text 2

21.	想念	(V.)	xiǎngniàn	miss; remember nostalgically
22.	趟	(M.W.)	tàng	(measure word for a round trip)

23.	自从	(Prep.)	zìcóng	since, from
24.	神奇	(Adj.)	shénqí	mystical, miraculous
25.	于是	(Conj.)	yúshì	so, then, thereupon, hence
26.	飞	(V.)	fēi	fly
27.	的确	(Adv.)	díquè	indeed, really
28.	感觉	(N., V.)	gǎnjué	feeling; feel
29.	一辈子	(N.)	yíbèizi	all one's life
30.	真正	(Adv., Adj.)	zhēnzhèng	really; genuine
31.	了解	(N., V.)	liǎojiě	understanding; understand
32.	气候	(N.)	qìhòu	climate, weather
33.	受不了		shòubuliǎo	not be able to stand; unendurable, intolerable
34.	特殊	(Adj.)	tèshū	special, particular, exceptional
35.	实在	(Adv., Adj.)	shízài	indeed; honest
36.	直	(Adj.)	zhí	straight

Proper nouns

1.	天坛	Tiān Tán		the Temple of Heaven
2.	纽约	Niǔyuē		New York
3.	芝加哥	Zhījiāgē		Chicago
4.	欧洲	Ōuzhōu		Europe

◎ **用本课的生词填空**

Fill in the blanks with the new words and expressions.

1. 每个中国人到了国外就特别_____中国菜，因为他们都有一个"中国胃"。
2. 谁说他是我朋友？我_____就不认识他！
3. 法律面前人人平等，谁都不能_____。
4. 真是神奇，_____到了这里，他的身体就一天比一天好。
5. 中国是一个发展中国家，还是一个_____国家？
6. 你的房间太乱了，应该好好儿_____一下。
7. 我干到退休也不可能有那么多钱，_____我一辈子不吃不喝。
8. 没错儿，我_____说过这样的话，可我当时不了解情况呀！
9. 他一遍遍地对我说："对不起，_____对不起！"
10. 我对中国历史不太_____，还要好好学习。

什么都要带上?

Do I Have to Take All These Things?

Mark is packing his luggage when Ding Hansheng enters.

丁汉生：你在干什么呀?

马　克：收拾行李。明天我要去中国。你看,毛巾、牙膏、
卫生纸,东西太多了,两个包都装不了。

丁汉生：如果这些东西你都要带,四个包也装不了。

马　克：你这话是什么意思?

丁汉生：有的东西你带了也用不着,有的你根本就不用带。

马　克：那你说应该带些什么?

丁汉生：<u>这要看你准备去哪儿了</u>。

> This means that what one needs to bring depend on the place where one is going. 要看 indicates 要根据具体的情况(depending on concrete circumstances). For example：大学毕业以后找什么工作现在还很难说,要看情况。

马　克：北京、上海是肯定要去的。

丁汉生：那你就什么也不要带,那儿什么都有。

马　克：毛巾之类的日用品也不用带吗?

丁汉生：不用。在中国一些大城市的宾馆、饭店里,牙刷、
牙膏这些东西都有,而且有的还是名牌。

马　克：真的? 那太好了。

丁汉生：不过,如果你要去经济还不发达的地方,那你
最好什么都带上。

马　克：什么都要带上? 连卫生纸也要带吗?

丁汉生：什么都要带,当然包括卫生纸。除非你不想用。
不过,这些东西你都可以到中国以后再买。

马　克：在中国买东西方便吗?

丁汉生：很方便。特别是在北京、上海这样一些大城市，大商场、大超市<u>有的是</u>，什么东西都买得到。不过，药你最好自己带上。

有的是 means that there is/are a lot. It has a tone of exaggeration. One can also say 多的是.

马　克：<u>你不说我差点儿忘了</u>。我的药呢？刚才还在桌子上，怎么找不着了？

This means, "If you had not said/mentioned it, I would have forgotten."

丁汉生：那不是吗？

Pinyin text

Shénme Dōu Yào Dàishàng?

Dīng Hànshēng:	Nǐ zài gàn shénme ya?
Mǎkè:	Shōushi xíngli. Míngtiān wǒ yào qù Zhōngguó. Nǐ kàn, máojīn, yágāo, wèishēngzhǐ, dōngxi tài duō le, liǎng gè bāo dōu zhuāngbuliǎo.
Dīng Hànshēng:	Rúguǒ zhèxiē dōngxi nǐ dōu yào dài, sì gè bāo yě zhuāngbuliǎo.
Mǎkè:	Nǐ zhè huà shì shénme yìsi?
Dīng Hànshēng:	Yǒude dōngxi nǐ dàile yě yòngbuzháo, yǒude nǐ gēnběn jiù bú yòng dài.
Mǎkè:	Nà nǐ shuō yīnggāi dài xiē shénme?
Dīng Hànshēng:	Zhè yào kàn nǐ zhǔnbèi qù nǎr le.
Mǎkè:	Běijīng, Shànghǎi shì kěndìng yào qù de.
Dīng Hànshēng:	Nà nǐ jiù shénme yě bú yào dài, nàr shénme dōu yǒu.
Mǎkè:	Máojīn zhī lèi de rìyòngpǐn yě bú yòng dài ma?
Dīng Hànshēng:	Bú yòng. Zài Zhōngguó yìxiē dà chéngshì de bīnguǎn, fàndiàn li, yáshuā, yágāo zhèxiē dōngxi dōu yǒu, érqiě yǒude háishi míngpái.
Mǎkè:	Zhēn de? Nà tài hǎo le.
Dīng Hànshēng:	Búguò, rúguǒ nǐ yào qù jīngjì hái bù fādá de dìfang, nà nǐ zuì hǎo shénme dōu dàishàng.
Mǎkè:	Shénme dōu yào dàishàng? Lián wèishēngzhǐ yě yào dài ma?
Dīng Hànshēng:	Shénme dōu yào dài, dāngrán bāokuò wèishēngzhǐ. Chúfēi nǐ bù xiǎng yòng. Búguò, zhèxiē dōngxi nǐ dōu kěyǐ dào Zhōngguó yǐhòu zài mǎi.

Mǎkè:	Zài Zhōngguó mǎi dōngxi fāngbiàn ma?
Dīng Hànshēng:	Hěn fāngbiàn. Tèbié shì zài Běijīng, Shànghǎi zhèyàng yìxiē dà chéngshì, dà shāngchǎng, dà chāoshì yǒudeshì, shénme dōngxi dōu mǎidedào. Búguò, yào nǐ zuì hǎo zìjǐ dàishàng.
Mǎkè:	Nǐ bù shuō wǒ chàdiǎnr wàng le. Wǒ de yào ne? Gāngcái hái zài zhuōzi shang, zěnme zhǎobuzháo le?
Dīng Hànshēng:	Nà bú shì ma?

⚙ 根据课文回答问题

Answer the questions according to the text.

1. 马克为什么要收拾行李?
2. 马克准备带哪些东西?
3. 如果要去北京、上海这样的大城市，应该带哪些东西?
4. 如果要去经济不太发达的地方，应该带些什么?
5. 在中国买东西方便吗?
6. 什么东西一定要自己带?

⚙ 根据课文填空

Fill in the blanks according to the text.

马克明天要去中国，正在_____行李。他带了太多的东西，两个包都装_____。丁汉生告诉马克不用带这么多东西，有的东西带了也用_____。如果马克只是去北京、上海的话，那就什么也_____。那儿什么都有，牙膏、牙刷之类的_____在一些大城市的宾馆里都免费提供，而且有的还是_____。如果马克还要去经济不太_____的地方，那最好什么都带_____，_____卫生纸也要带上。另外，虽然在中国什么东西都买_____，但是自己吃的药最好自己带上。

课文二 Kèwén Èr **Text 2**

我经常找不着北
I Often Get Lost

林娜总是说北京<u>多么多么漂亮</u>。也许是她离开家乡的时间太长，很想念自己的父母和朋友，所以一定要回去看一

> "多么多么 + Adj." means "非常 + Adj." It is used to recount how someone repeatedly/continuously talks about or describes something.

看。没办法，我只好陪她走一趟。

当然啦，自从我学了汉语，认识了林娜以后，也真的想去看看那个神奇的国家。于是，我们买了机票，登上了飞往北京的飞机。

北京的确很不错。故宫、天坛都非常漂亮，当然还有长城。中国有一句话，叫"不到长城非好汉"，我和林娜一起站在长城上，真的有一种好汉的感觉。那种感觉，恐怕我一辈子都忘不了。

不过，说实话，我更喜欢西安，因为我觉得那儿是真正的中国。如果你想了解中国的历史，那么你一定要去西安。可是那儿的气候我有点儿受不了。

上海是个很特殊的城市，我实在不知道它像纽约还是像芝加哥。也许它更像欧洲的一个什么城市，也许，它哪个城市也不像，它就是它自己。不过，上海的马路没有北京和西安那么直，我经常找不着北。

This means "getting lost." In spoken Chinese, it also means "not knowing what to do."

Wǒ Jīngcháng Zhǎobuzháo Běi

Lín Nà zǒngshì shuō Běijīng duōme duōme piàoliang. Yěxǔ shì tā líkāi jiāxiāng de shíjiān tài cháng, hěn xiǎngniàn zìjǐ de fùmǔ hé péngyou, suǒyǐ yídìng yào huíqù kàn yi kàn. Méi bànfǎ, wǒ zhǐhǎo péi tā zǒu yí tàng.

Dāngrán la, zìcóng wǒ xuéle Hànyǔ, rènshile Lín Nà yǐhòu, yě zhēn de xiǎng qù kànkan nàge shénqí de guójiā. Yúshì, wǒmen mǎile jǐpiào, dēngshàngle fēiwǎng Běijīng de fēijī.

Běijīng díquè hěn búcuò. Gù Gōng, Tiān Tán dōu fēicháng piàoliang, dāngrán hái yǒu Chángchéng. Zhōngguó yǒu yí jù huà, jiào "Bú dào Chángchéng fēi hǎohàn", wǒ hé Lín Nà yìqǐ zhàn zài Chángchéng shang, zhēn de yǒu yì zhǒng hǎohàn de gǎnjué. Nà zhǒng gǎnjué, kǒngpà wǒ yíbèizi dōu wàngbuliǎo.

Búguò, shuō shíhuà, wǒ gèng xǐhuan Xī'ān, yīnwèi wǒ juéde nàr shì zhēnzhèng de Zhōngguó. Rúguǒ nǐ xiǎng liǎojiě Zhōngguó de lìshǐ, nàme nǐ yídìng yào qù Xī'ān. Kěshì nàr de qìhòu wǒ yǒudiǎnr shòubuliǎo.

Shànghǎi shì gè hěn tèshū de chéngshì, wǒ shízài bù zhīdào tā xiàng Niǔyuē háishi xiàng Zhījiāgē. Yěxǔ tā gèng xiàng Ōuzhōu de yí gè shénme chéngshì, yěxǔ, tā nǎge chéngshì yě bú xiàng, tā jiù shì tā zìjǐ. Búguò, Shànghǎi de mǎlù méiyǒu Běijīng hé Xī'ān nàme zhí, wǒ jīngcháng zhǎobuzháo běi.

⚙ 根据课文回答问题
Answer the questions according to the text.
1. 林娜为什么一定要回去看一看？
2. "我"是什么时候开始想去中国看看的？
3. "我"感觉北京怎么样？
4. "我"喜欢西安什么，不喜欢西安什么？
5. "我"觉得上海怎么样？

⚙ 每个城市都有它的特点，有它吸引人的地方，也有它不好的地方。根据课文和你的实际情况，填写下面的表格。
Every city has its own unique features, attractions and shortcomings. Fill in the blanks according to the text and your own situation.

地点	位置	特点	吸引人的地方	不好的地方
北京				
上海				
西安				
纽约				
伦敦				
东京				
你的家乡				
……				

◎ 假设你要请你的同学去你家乡旅行，试介绍一下你的家乡。
Suppose you are inviting your classmate to visit your hometown, write an introduction about your hometown.

语言点 Yǔyándiǎn Language points

The usa of 了 (liǎo)

Originally, 了 denoted the completion of an action. However, when it is used as a complement to a verb, it indicates the ability or the possibility of an action, with "V. 得了" as the affirmative form and "V. 不了" as the negative form. For example:

1. 东西太多了，两个包都装不了。
2. 如果这些东西你都要带，四个包也装不了。
3. 那种感觉恐怕我一辈子都忘不了。
4. 可是那儿的气候我有点儿受不了。
5. 东西这么多，你一个人拿得了吗?
6. 你放心吧，这事我忘不了。
7. 你点了这么多菜，我们只有两个人，肯定吃不了。
8. 没买到飞机票，走不了了。

◎ 用 "V. + 得了 / 不了" 完成句子
Complete the sentences with V. + 得了 / 不了 structure.

1. 雨太大，_____。
2. 行李太多了，我一个人恐怕_____。

3. 你点的菜太多了，我们两个人 _____。
4. 竟然有人在房间里抽烟，我实在 _____ ！

The use of 着 (zháo)

着 can follow a verb as a complement, meaning "to reach the goal / to attain the result". 得 or 不 can be used between the verb and 着 to indicate the possibility or impossibility of the action. In this use, 着 is sometimes interchangeable with 到. For example:

1. 听说你想买一本汉英词典，买着了吗？
2. 我去的时候，车已经开了，我没见着他们。
3. 在那儿什么东西都买得着。
4. 有些东西你带了也用不着。
5. 我的药呢？刚才还在桌子上，怎么找不着了？
6. 我经常找不着北。
7. 这是十年前流行的衣服，现在已经买不着了。

⚙ 用 "V.+ 得着 / 不着" 完成句子
Complete the sentences with V.+ 得着 / 不着 structure.

1. iPhone 3G 已经停产了，现在已经 _____。
2. 我的课本呢？我怎么 _____。
3. 这么地道的中国菜，只在中国才有，在这边 _____。
4. 你最好带些厚衣服去北京。现在北京正是冬天，这些东西 _____。

文化点 Wénhuàdiǎn **Cultural notes**

As the world's second largest economy, China is developing on a fast track. It plays a vital role in the international market. However, China is still a developing country with seriously unbalanced regional development. Urban and rural areas have developed unevenly, especially in terms of the economy. The most advanced cities include Beijing, Shanghai, Guangzhou and Shenzhen, while the vast land across the mid-west is still under developed with great development opportunity and potential.

Unit 6

Bǎochí Liánxì
保持 联系
Keep in Touch

学习目标
Learning objectives

* 对比中外生活和环境

  Making comparison of life and the environment between China and another country

* 学会用汉语写信

  Learning to write a letter in Chinese

* 学习相关词汇、动词重叠形式及概数和分数表达法

  Learning related words and the reduplication of verbs, numerical phrases and fractions

一封明信片：读后回答问题。

A postcard：read and answer the questions.

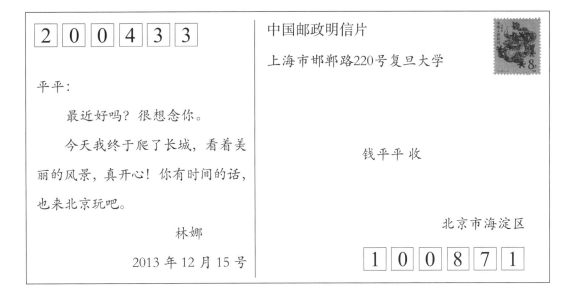

1. 这是谁写的明信片？
2. 这是写给谁的明信片？
3. 林娜现在在哪儿？
4. 钱平平现在在哪儿？
5. 林娜觉得长城怎么样？
6. 钱平平的地址是什么？邮编是多少？

你去国外旅行过吗？你觉得那儿和你的国家有什么不一样？

Have you ever traveled in a foreign country? What kind of differences it has from your country?

词语 Cíyǔ Words and Expressions

				Text
1.	未	(Adv.)	wèi	not
2.	方面	(N.)	fāngmiàn	aspect, respect
3.	聊	(V.)	liáo	chat
4.	十分	(Adv.)	shífēn	very, extremely
5.	宝贝	(N.)	bǎobèi	treasured object
6.	松鼠	(N.)	sōngshǔ	squirrel
7.	虽然	(Conj.)	suīrán	though, although
8.	相信	(V.)	xiāngxìn	believe
9.	面积	(N.)	miànjī	area
10.	总共	(Adv.)	zǒnggòng	in total
11.	人口	(N.)	rénkǒu	population
12.	…分之…		…fēn zhī…	(for fractional numbers)
13.	其中	(N.)	qízhōng	among which; amidst
14.	大约	(Adv.)	dàyuē	approximately
15.	百分之…		bǎi fēn zhī…	percent
16.	华裔	(N.)	huáyì	of Chinese descent
17.	人山人海		rénshān-rénhǎi	huge crowds
18.	景象	(N.)	jǐngxiàng	scene, sight
19.	为	(Prep.)	wèi	for; in the interest of; for sb's sake
20.	顾客	(N.)	gùkè	customer
21.	赚	(V.)	zhuàn	make a profit; earn
22.	适应	(V.)	shìyìng	get used to
23.	热情	(Adj.)	rèqíng	enthusiastic, zealous

24.	碰见	(V.)	pèng jiàn	meet unexpectedly; run into sb.
25.	碰	(V.)	pèng	touch, bump; run into
26.	几乎	(Adv.)	jīhū	almost, nearly
27.	吃惊	(V.O.)	chī jīng	be surprised; be startled
28.	耐心	(N., Adj.)	nàixīn	patience; patient
29.	职业	(N.)	zhíyè	occupation, profession
30.	时刻	(N.,Adv.)	shíkè	moment; constantly
31.	怀疑	(V.)	huáiyí	doubt; be suspicious of
32.	生活	(N., V.)	shēnghuó	life; live
33.	轻松	(Adj.)	qīngsōng	easy, relaxed
34.	翻	(V.)	fān	look over; thumb through
35.	打牌	(V.O.)	dǎ pái	play cards
36.	下棋	(V.O.)	xià qí	play chess
37.	钓鱼	(V.O)	diào yú	go fishing
38.	签证	(N.)	qiānzhèng	visa
39.	导游	(N., V.)	dǎoyóu	tourist guide; guide a sightseeing tour
40.	保持	(V.)	bǎochí	keep
41.	健康	(N., Adj.)	jiànkāng	health; healthy

Unit
6

❀ **用本课的生词填空**

Fill in the blanks with the new words and expressions.

1. 来这个商店买东西的，主要是老年顾客，＿＿＿＿＿＿＿＿大多数是老年妇女。
2. 这个花瓶是 100 年前的东西，是他的＿＿＿＿＿＿＿＿，你最好别碰。
3. 多运动、多吃新鲜蔬菜、少吃肉，对＿＿＿＿＿＿＿有好处。
4. 在学习＿＿＿＿＿＿＿，如果你有什么问题，可以问老师。
5. 他学什么都太着急，没有＿＿＿＿＿＿＿，所以什么都学不好。
6. 请打开书，＿＿＿＿＿＿到第三页。
7. 加拿大的＿＿＿＿＿＿＿跟中国差不多，不过人口少多了。
8. 她的职业是＿＿＿＿＿＿＿，每个星期都要带旅行团上山游览。
9. 我下周一去澳大利亚，今天刚刚办好＿＿＿＿＿＿＿＿。
10. 退休以后，他每天下下棋、打打牌，生活过得很＿＿＿＿＿＿＿。

一封电邮
An Email

平平姐：

　久未联系，你一切都好吧！

　我来加拿大已经四五个月了。去了几个城市，感觉有很多方面跟中国不一样，很想和你聊聊。

　最明显的感觉是加拿大的环境特别好，空气十分新鲜。这里的大树非常多，如果在咱们那儿，很多都会被当作宝贝。树上还有不少可爱的松鼠，也不怕人。

　虽然加拿大的树比中国多，但是人比中国少多了。你可能不相信，加拿大的面积比中国还大一点儿，可是全加拿大总共只有三千多万人口，大概是中国的四十分之一，只比上海市人口多一点儿，其中大约有百分之三是华裔。

　刚来的时候，我去一些大商场看了看，没有中国那种人山人海的景象。有时候只有十来个人。我真为那些老板们担心，顾客那么少，他们能赚钱吗？还有，他们的商店下午早早儿就关门了，周末也不开门。这让我有点儿不适应。

虽然这儿气候有点儿冷，可人们都很热情。认识的、不认识的，碰见了几乎都会跟我说"嗨"，有的还用中文说"你好"呢。让我吃惊的还有这儿的公共汽车司机。他们很有耐心，几乎对每一个乘客都要说"早上好"，我不知道这是不是他们的职业习惯。北京、上海的司机怎么就没有这么好的耐心呢？不过，如果他们也在北京、上海开车的话，每天面对人山人海的乘客，还要时刻小心看路，我怀疑他们还会不会那么有耐心。

我在这儿的学习和生活都非常轻松。早上起来散散步，晚饭以后翻翻报纸、看看电视；有时候来几个朋友，还能一起打打牌、下下棋、钓钓鱼。

你的签证办得怎么样了？等你来加拿大的时候，我就可以给你当导游了，到时候陪你好好儿走一走，看一看。

好好儿 is read "hǎohāor". It is used before verbs to mean "thoroughly and carefully." For example：这本书你应该好好儿看看. While "zǎozāor" in 商店早早儿就关门了 means "quite early".

想念你。保持联系！

祝

身体健康，一切顺利！

This expresses a wish or sentiment meaning "may everything goes well". 一切 means "everything/all"；顺利 means "smooth/without a hitch".

林娜

2013 年 11 月 15 日

Unit
6

Yì Fēng Diànyóu

Píngping jiě:

Jiǔ wèi liánxì, nǐ yíqiè dōu hǎo ba!

Wǒ lái Jiānádà yǐjīng sì-wǔ gè yuè le. Qùle jǐ gè chéngshì, gǎnjué yǒu hěn duō fāngmiàn gēn Zhōngguó bù yíyàng, hěn xiǎng hé nǐ liáoliao.

Zuì míngxiǎn de gǎnjué shì Jiānádà de huánjìng tèbié hǎo, kōngqì shífēn xīnxiān. Zhèli de dà shù fēicháng duō, rúguǒ zài zánmen nàr, hěn duō dōu huì bèi dàngzuò bǎobèi. Shù shang hái yǒu bù shǎo kě'ài de sōngshǔ, yě bú pà rén.

Suīrán Jiānádà de shù bǐ Zhōngguó duō, dànshì rén bǐ Zhōngguó shǎo duō le. Nǐ kěnéng bù xiāngxìn, Jiānádà de miànjī bǐ Zhōngguó hái dà yìdiǎnr, kěshì quán Jiānádà zǒnggòng zhǐ yǒu sānqiān duō wàn rénkǒu, dàgài shì Zhōngguó de sìshí fēn zhī yī, zhǐ bǐ Shànghǎi Shì rénkǒu duō yìdiǎnr, qízhōng dàyuē yǒu bǎi fēn zhī sān shì huáyì.

Gāng lái de shíhou, wǒ qù yìxiē dà shāngchǎng kànle kàn, méiyǒu Zhōngguó nà zhǒng rénshān-rénhǎi de jǐngxiàng. Yǒu shíhou zhǐ yǒu shí lái gè rén. Wǒ zhēn wèi nàxiē lǎobǎnmen dānxīn, gùkè nàme shǎo, tāmen néng zhuàn qián ma? Háiyǒu, tāmen de shāngdiàn xiàwǔ zǎozāor jiù guānmén le, zhōumò yě bù kāimén. Zhè ràng wǒ yǒudiǎnr bú shìyìng.

Suīrán zhèr qìhòu yǒudiǎnr lěng, kě rénmen dōu hěn rèqíng. Rènshi de, bú rènshi de, pèngjiànle jīhū dū huì gēn wǒ shuō "hēi", yǒude hái yòng Zhōngwén shuō "nǐhǎo" ne. Ràng wǒ chījīng de hái yǒu zhèr de gōnggòng qìchē sījī. Tāmen hěn yǒu nàixīn, jīhū duì měi yí gè chéngkè dōu yào shuō "zǎoshang hǎo", wǒ bù zhīdào zhè shì bu shì tāmen de zhíyè xíguàn. Běijīng, Shànghǎi de sījī zěnme jiù méiyǒu zhème hǎo de nàixīn ne? Búguò, rúguǒ tāmen yě zài Běijīng, Shànghǎi kāi chē dehuà, měi tiān miànduì rénshān-rénhǎi de chéngkè, hái yào shíkè xiǎoxīn kàn lù, wǒ huáiyí tāmen hái huì bu huì nàme yǒu nàixīn.

Wǒ zài zhèr de xuéxí hé shēnghuó dōu fēicháng qīngsōng. Zǎoshang qǐlái sànsan bù, wǎnfàn yǐhòu fānfan bàozhǐ, kànkan diànshì; yǒu shíhou lái jǐ gè péngyou, hái néng yìqǐ dǎda pái, xiàxia qí, diàodiao yú.

Nǐ de qiānzhèng bàn de zěnmeyàng le? Děng nǐ lái Jiānádà de shíhou, wǒ jiù kěyǐ gěi nǐ dāng dǎoyóu le, dào shíhou péi nǐ hǎohāor zǒu yi zǒu, kàn yi kàn.

Xiǎngniàn nǐ. Bǎochí liánxì!

Zhù

Shēntǐ jiànkāng, yíqiè shùnlì!

Lín Nà

èr líng yī sān nián shíyī yuè shíwǔ rì

⚙ **根据课文回答问题**

Answer the questions according to the text.

1. 林娜为什么特别想和平平聊聊？
3. 加拿大给林娜最明显的感觉是什么？
4. 林娜为什么为那些老板们担心？
5. 林娜觉得加拿大人怎么样？
6. 公共汽车司机为什么让林娜吃惊？
7. 林娜的学习和生活怎么样？
8. 平平正在忙什么事儿？

⚙ **假如你有一位中国网友，请写一封电子邮件，告诉他/她你的情况。注意中文书信的基本格式。**
中文书信的格式：

Suppose you have a Chinese internet friend. Write him/her an email to introduce yourself. Pay attention to the format of a Chinese email.

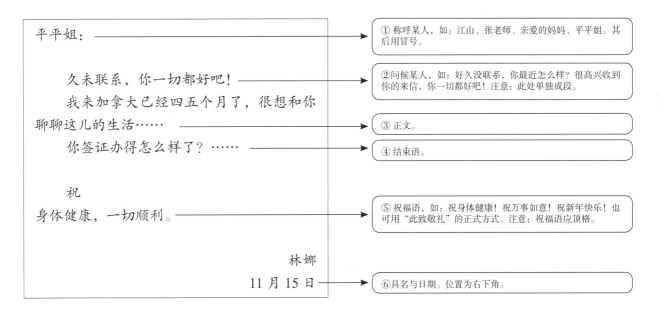

Unit 6

语言点 Yǔyándiǎn **Language points**

❖ The Reduplication of Verbs

Verbs are repeated or reduplicated to indicate that an action is short, quick, random, or informal. This kind of verb tends to soften the tone of a sentence, making it sound relaxed or informal. This device especially emphasizes the duration of the action.

When monosyllabic verbs are reduplicated to indicate future actions, 一 can be inserted between the two verb iterations. For example:

1. 这是我的作业，请您看（一）看对不对。

2. 我可以试（一）试吗？

3. 我们休息休息吧。

Reduplication of verbs can also be used to indicate completed actions, in which case 了 appears between the two verb iterations to indicate the shortness of the action, as well as an informal tone. For example：

1. 刚来的时候，我去一些大商场看了看。

2. 刚才她进教室看了看，又走了。

3. 她想了想，说："还是我去吧。"

4. 听了马丁的话，她笑了笑，没说什么。

This device can also be applied to habitual actions, or actions without fixed schedules. It implies a relaxed tone. For example:

1. 早上起来散散步，晚饭以后翻翻报纸、看看电视。

2. 有时候来几个朋友，还能一起打打牌、下下棋、钓钓鱼。

3. 吃完饭最好出去散散步。

4. 平时我哪儿也不去，就在家看看书、听听音乐。

⚙ **用括号里的词语完成句子**

Reduplicate the verbs in the brackets to complete the sentences.

1. 我每天吃过晚饭就在公园里＿＿＿＿＿＿＿＿＿。（散步）

2. 我刚才＿＿＿＿＿＿＿＿＿手机，发现有人给我留言。（看）

3. 你有时间吗？我想跟你＿＿＿＿＿＿＿＿＿。（聊）

4. 别着急，请让我＿＿＿＿＿＿＿＿＿。（想）

5. 房间太乱了，你＿＿＿＿＿＿＿＿＿。（收拾）

❋ Numerical Phrases and Fractions

Numerical Phrases

In Chinese, 几 denotes "several, some". Two other ways of achieving the same function are: placing two consecutive numbers together, or placing 来 or 左右 after a numerical measure word. For example:

1. 去了几个城市，感觉有很多方面跟中国不一样。

2. 有时候来几个朋友，还能一起打打牌、下下棋、钓钓鱼。

3. 他只去了十几天就回来了。

4. 我来加拿大已经四五个月了。

5. 他看上去只有十八九岁。

6. 有时候只有十来个人。

7. 他看上去只有二十来岁。

8. 其中还有百分之二十左右是华人和华裔。

9. 等了十分钟左右，他还没来，我就走了。

10. 从上海到北京，坐飞机需要一个半小时左右。

Fractions

In Chinese, fractions are read X 分之 Y. For example, one third is read, 三分之一. A fraction with one hundred as its denominator is called a percentage. For example, in Chinese, 40% is 百分之四十. Some more examples:

1. 加拿大人口大概是中国的四十分之一。
2. 百分之二十五就是四分之一。
3. 其中大约百分之三是华裔。
4. 百分之八十的人都不同意这么做。

⚙ 用给定词语回答问题
Answer the questions with the given words.

1. 你们班有多少学生？（几）
2. 你妈妈多大年纪了？（来）
3. 你每天睡多长时间？（七八）
4. 一辆自行车多少钱？（左右）
5. 你们班女学生多吗？（分之）

文化点 Wénhuàdiǎn Cultural notes

China's Ethnic Composition

China is a multi-ethnic country, with 56 ethnic groups recognized. Among them, Han accounts for a large majority, totaling over 1.2 billion people. The other 55 ethnic groups are minority groups. *Zhonghua Minzu* (the Chinese nation) is the general term for all Chinese ethnic groups. *Huaren* is a term for Chinese people living in other parts of the world.

Among the non-Han ethnic groups, there are nine large and well known ones: Zhuang, Manchu, Hui, Miao, Uygur, Tujia, Yi, Mongol, and Tibetan. The Han people are widely distributed while other ethnic groups usually live in certain areas. Five autonomous regions are established in China: Inner Mongolia Autonomous Region, Xinjiang Uygur Autonomous Region, Ningxia Hui Autonomous Region, Guangxi Zhuang Autonomous Region and Tibet Autonomous Region.

Unit 7

Tiānxià Yì Jiā
天 下 一 家
All Under Heaven Are One Family

学习目标
Learning objectives

* 谈论中文姓名和姓名含义

  Talking about Chinese names and their meanings

* 了解中国人起名的学问

  Understanding the rules of choosing a Chinese name

* 学习相关词汇及趋向补语的引申用法

  Learning related words and the extended uses of the

  directional complement

百家姓：中国人的姓既可能代表着某种先祖部落的图腾，又反映着先祖的来源和发展。下面的图中，你认识几种姓？

Hundred Family Names: Chinese family names may either represent the totem of tribal ancestors or reflect their origin and development. Which of the following family names can you recognize?

李姓	王姓	张姓	刘姓	陈姓
杨姓	赵姓	黄姓	周姓	吴姓
徐姓	孙姓	胡姓	朱姓	高姓
林姓	何姓	郭姓	马姓	罗姓

你有中文名字吗？为什么取这个名字？

Do you have a Chinese name? Why did you choose this name?

你认不认识同名同姓的人？如果他们同时和你在一起的话，你怎么叫他们？

Do you know people who share the same family name and given name? If so, what do you call them if they are both with you?

Unit
7

词语 Cíyǔ **Words and Expressions**

Text 1

1.	太阳	(N.)	tàiyáng	sun
2.	月份	(N.)	yuèfèn	month
3.	决定	(N., V.)	juédìng	decision; decide
4.	主意	(N.)	zhǔyi	idea, plan
5.	坚持	(V.)	jiānchí	persist, uphold
6.	讲究	(N., V., Adj.)	jiǎngjiu	(result of) careful study; pay attention to; exquisite
7.	幸福	(N., Adj.)	xìngfú	happiness; happy
8.	开玩笑		kāi wánxiào	crack a joke; make fun of
9.	玩笑	(N.)	wánxiào	joke
10.	名人	(N.)	míngrén	famous person
11.	提	(V.)	tí	mention
12.	去世	(V.)	qùshì	pass away; die
13.	非…不可		fēi…bùkě	must; have to
14.	吓	(V.)	xià	frighten, scare
15.	伟大	(Adj.)	wěidà	great, mighty

Text 2

16.	取	(V.)	qǔ	choose, adopt
17.	一般	(Adv., Adj.)	yìbān	usually; common, normal
18.	希望	(N., V.)	xīwàng	hope; wish
19.	出息	(N.)	chūxi	prospects; a bright future
20.	首先	(Adv.)	shǒuxiān	first of all
21.	顺口	(Adj.)	shùnkǒu	easy to read
22.	顺耳	(Adj.)	shùn'ěr	pleasing to the ear
23.	响亮	(Adj.)	xiǎngliàng	loud and clear; resonant

24.	除了	(Prep.)	chúle	besides; in addition to
25.	同	(Adj.)	tóng	same, similar
26.	根据	(Prep.)	gēnjù	according to; based on
27.	统计	(N., V.)	tǒngjì	statistics; tally up; count
28.	光	(Adv.)	guāng	only, (sb./sth.) alone
29.	亿	(Num.)	yì	one hundred million
30.	有些	(Pron.)	yǒuxiē	some
31.	儿子	(N.)	érzi	son
32.	稀奇古怪		xīqí gǔguài	rare and odd; bizarre
33.	查	(V.)	chá	look up; check, consult
34.	认为	(V.)	rènwéi	think; have the opinion that
35.	怪	(V.)	guài	blame

Proper nouns

1.	上帝	Shàngdì	God
2.	毛泽东	Máo Zédōng	Mao Zedong
3.	东方	Dōngfāng	the East; the Orient
4.	邓小平	Dèng Xiǎopíng	Deng Xiaoping

⚙ **用本课的生词填空**

Fill in the blanks with the new words and expressions.

1. _____篮球以外，他还喜欢棒球。
2. 遇到不认识的字词，就_____词典。这是一个好习惯。
3. 很多中国人对吃很_____，不过，我是个例外，我吃什么都行。
4. 只要有一点儿希望，我们就必须_____下去。
5. 他突然大叫一声，把我_____了一跳。
6. _____统计，中国人最常见的姓是张、王、李。
7. 希望别人做到的，你自己_____得做到。
8. 哪家的父母不希望自己的孩子将来有_____呢？
9. 你开车这样不小心，非出事_____！
10. 他是一个非常有趣的人，总是喜欢跟人开_____。

你不能叫马克思

You Can't Use the Name 马克思

Mark is visiting Bai Xiaohong and asks her to make up a Chinese name for him.

马　克：小红，有件事儿想麻烦你一下。

白小红：太阳从西边出来了！平时都是
　　　　我麻烦你，今天你怎么麻烦起
　　　　我来了？什么事儿？说出来我听听。

> This is an idiom meaning "something that was not supposed to happen has happened".

马　克：我打算九月份到中国学习汉语。

白小红：好啊，到什么地方学？上海还是北京？

马　克：还没有决定。我觉得这两个地方都挺好，所以
　　　　打算先到北京学上半年，然后再到上海学上
　　　　半年。

白小红：好主意，我怎么就想不出来呢。我知道了，你
　　　　想让我教你说汉语。放心吧，从今天开始，我
　　　　一天教你一句，这样坚持下去，到九月份你就
　　　　能说不少了。

> This means "to teach you one sentesnce per day". Here, 一 equals to 每.
> Another example: 我们一星期学四个小时汉语。

马　克：你一定会是一位很好的老师。
　　　　不过，我现在最需要一个中
　　　　文名字，一个真正的中国名字，听起来不像外
　　　　国人的那种。我听说中国人的名字很有讲究。

白小红：有的有讲究，有的没有。像毛泽东的"泽东"
　　　　就很有讲究，意思是"给东方人带来幸福"；可
　　　　是邓小平的"小平"，我就说不出来有什么讲究。

让我想想，你姓 Maxwell，马……，叫什么好呢？就叫马克思吧。

马　克：马——克——思？很好，我就叫马克思。

白小红：跟你开玩笑呢。你不能叫马克思，因为已经有一个外国人叫马克思了，而且是个名人。提起他来，中国人几乎没有不知道的。

马　克：谁？他能叫马克思，我也能叫马克思。

白小红：就是 Karl Marx，他已经去世一百多年了。

马　克：那我叫马克思就更没有问题了。

白小红：还是有问题。你想，要是你的中国朋友跟家里人说，明天要去见马克思，那非把他家里人吓出病来不可。

> This means "without a doubt, his family would be terrified."

马　克：为什么？

白小红：因为"去见马克思"和"去见上帝"的意思差不多。

马　克：那我不叫马克思了。你再帮我想想吧。

白小红：看我能不能想出来。……有了，你就叫马克伟吧，"伟大"的"伟"。跟马克思还是一家人！

Pinyin text

Nǐ Bù Néng Jiào Mǎkèsī

Mǎkè: Xiǎohóng, yǒu jiàn shìr xiǎng máfan nǐ yíxià.

Bái Xiǎohóng: Tàiyáng cóng xībian chūlái le! Píngshí dōu shì wǒ máfan nǐ, jīntiān nǐ zěnme máfan qǐ wǒ lái le? Shénme shìr? Shuō chūlái wǒ tīngting.

Mǎkè: Wǒ dǎsuàn jiǔ yuèfèn dào Zhōngguó xuéxí Hànyǔ.

Bái Xiǎohóng: Hǎo a, dào shénme dìfang xué? Shànghǎi háishi Běijīng?

Mǎkè: Hái méiyǒu juédìng. Wǒ juéde zhè liǎng gè dìfang dōu tǐng hǎo, suǒyǐ

dǎsuàn xiān dào Běijīng xuéshàng bàn nián, ránhòu zài dào Shànghǎi
xuéshàng bàn nián.

Bái Xiǎohóng: Hǎo zhǔyi, wǒ zěnme jiù xiǎng bu chūlái ne. Wǒ zhīdào le, nǐ xiǎng
ràng wǒ jiāo nǐ shuō Hànyǔ. Fàngxīn ba, cóng jīntiān kāishǐ, wǒ yì
tiān jiāo nǐ yí jù, zhèyàng jiānchí xiàqù, dào jiǔ yuèfèn nǐ jiù néng shuō
bùshǎo le.

Mǎkè: Nǐ yídìng huì shì yí wèi hěn hǎo de lǎoshī. Búguò, wǒ xiànzài zuì xūyào
yí gè Zhōngwén míngzi, yí gè zhēnzhèng de Zhōngguó míngzi, tīng
qǐlái bú xiàng wàiguórén de nà zhǒng. Wǒ tīngshuō Zhōngguórén de
míngzi hěn yǒu jiǎngjiu.

Bái Xiǎohóng: Yǒude yǒu jiǎngjiu, yǒude méiyǒu. Xiàng Máo Zédōng de "Zédōng" jiù
hěn yǒu jiǎngjiu, yìsi shì "gěi Dōngfāngrén dàilái xìngfú"; kěshì Dèng
Xiǎopíng de "Xiǎopíng", wǒ jiù shuō bu chūlái yǒu shénme jiǎngjiu.
Ràng wǒ xiǎngxiang, nǐ xìng **Maxwell**, Mǎ···, jiào shénme hǎo ne? Jiù
jiào Mǎkèsī ba.

Mǎkè: Mǎ-kè-sī? Hěn hǎo, wǒ jiù jiào Mǎkèsī.

Bái Xiǎohóng: Gēn nǐ kāi wánxiào ne. Nǐ bù néng jiào Mǎkèsī, yīnwèi yǐjīng yǒu
yí gè wàiguórén jiào Mǎkèsī le, érqiě shì gè míngrén. Tí qǐ tā lái,
Zhōngguórén jīhū méiyǒu bù zhīdào de.

Mǎkè: Shéi? Tā néng jiào Mǎkèsī, wǒ yě néng jiào Mǎkèsī.

Bái Xiǎohóng: Jiù shì **Karl Marx**, tā yǐjīng qùshì yìbǎi duō nián le.

Mǎkè: Nà wǒ jiào Mǎkèsī jiù gèng méiyǒu wèntí le.

Bái Xiǎohóng: Háishi yǒu wèntí. Nǐ xiǎng, yàoshi nǐ de Zhōngguó péngyou gēn jiā
li rén shuō, míngtiān yào qù jiàn Mǎkèsī, nà fēi bǎ tā jiā li rén xiàchū
bìng lái bùkě.

Mǎkè: Wèi shénme?

Bái Xiǎohóng: Yīnwèi "qù jiàn Mǎkèsī" hé "qù jiàn Shàngdì" de yìsi chàbuduō.

Mǎkè: Nà wǒ bú jiào Mǎkèsī le. Nǐ zài bāng wǒ xiǎngxiang ba.

Bái Xiǎohóng: Kàn wǒ néng bu néng xiǎng chūlái. ···Yǒu le, nǐ jiù jiào Mǎ Kèwěi ba,
"wěidà" de "wěi"! Gēn Mǎkèsī háishi yì jiā rén!

⚙ 根据课文回答问题

Answer the questions according to the text.

1. 白小红为什么说"太阳从西边出来了"？
2. 马克九月份准备干什么？
3. 马克要白小红给她取一个什么样的名字？
4. 中国人的名字有讲究吗？
5. 马克为什么不能叫马克思？

Fill in the blanks according to the text.

马克_____九月份到中国学习汉语。他想请白小红_____他取个中文名字，一个真正的中文名字，听_____不像外国人的那种。白小红说中国人的名字往往都很有_____，比如毛泽东的意思是"给东方人带_____幸福"。白小红跟马克开玩笑说，他就叫马克思吧。不过，马克思在中国可是一个大名人，_____他来，几乎没有人不知道。他已经_____一百多年了，中国人说"去见马克思"的意思就是"去见上帝"，所以马克不能叫这个名字。白小红想了想，终于想_____一个好名字，就是"马克伟"，"伟"是"伟大"_____"伟"。

课文二 Kèwén Èr Text 2

取名字的讲究
Rules for Choosing Names

中国人取名字很有讲究。因为名字一般都是父母给孩子取的，哪家的父母不希望自己的孩子将来有出息呢？

要说取名字，讲究可多了。首先得叫起来顺口，听起来顺耳。男孩子的名字得响亮些，比如"刚"啊、"强"啊什么的；女孩子的名字得好听些，比如"美"呀、"丽"呀什么的。除了这些，名字还要有特殊的意思。

> In spoken Chinese, 要说 is commonly used at the beginning of a sentence to make reference to the topic. Similar expressions include 说起, 说到, etc.

> ...什么的 means "so on and so forth". It appears at the end of a sentence, indicating enumeration. 什么 should be pronounced in the neutral tone.

中国同姓的人太多。根据统计，光姓张的就有一亿多人。有些名字你觉得好，别人也觉得好，这样问题就来了：同名同姓的人太多。我有个朋友的儿子叫王刚，他儿子班里有个同学也叫王刚。老师叫一个名字，站起来两个学生。没办法，老师只好把一个叫大王刚，一个叫小王刚。

现在，年轻的父母总是想和别人不一样，所以就给

Unit
7

孩子取一个稀奇古怪的名字。他们自己本来也不知道意思，都是从词典上查来的。我朋友的孩子跟我说，他们学校有不少学生认为老师没水平，因为老师上课的时候连学生的名字都叫不出来，得让学生自己告诉老师。你说这能怪老师吗？

叫个什么好呢？

Pinyin text

Qǔ Míngzi De Jiǎngjiu

Zhōngguórén qǔ míngzi hěn yǒu jiǎngjiu. Yīnwèi míngzi yìbān dōu shì fùmǔ gěi háizi qǔ de, nǎ jiā de fùmǔ bù xīwàng zìjǐ de háizi jiānglái yǒu chūxi ne?

Yào shuō qǔ míngzi, jiǎngjiu kě duō le. Shǒuxiān děi jiào qǐlái shùnkǒu, tīng qǐlái shùn'ěr. Nán háizi de míngzi děi xiǎngliàng xiē, bǐrú "gāng" a, "qiáng" a shénme de; nǚ háizi de míngzi děi hǎotīng xiē, bǐrú "měi" ya, "lì" ya shénme de. Chúle zhèxiē, míngzi hái yào yǒu tèshū de yìsi.

Zhōngguó tóng xìng de rén tài duō. Gēnjù tǒngjì, guāng xìng Zhāng de jiù yǒu yíyì duō rén. Yǒuxiē míngzi nǐ juéde hǎo, biéren yě juéde hǎo, zhèyàng wèntí jiù lái le: Tóng míng tóng xìng de rén tài duō. Wǒ yǒu gè péngyou de érzi jiào Wáng Gāng, tā érzi de bān li yǒu gè tóngxué yě jiào Wáng Gāng. Lǎoshī jiào yí gè míngzi, zhàn qǐlái liǎng gè xuésheng. Méi bànfǎ, lǎoshī zhǐhǎo bǎ yí gè jiào Dà Wáng Gāng, yí gè jiào Xiǎo Wáng Gāng.

Xiànzài, niánqīng de fùmǔ zǒngshì xiǎng hé biéren bù yíyàng, suǒyǐ jiù gěi háizi qǔ yí gè xīqí gǔguài de míngzi. Tāmen zìjǐ běnlái yě bù zhīdào yìsi, dōu shì cóng cídiǎn shang chálái de. Wǒ péngyou de háizi gēn wǒ shuō, tāmen xuéxiào yǒu bù shǎo xuésheng rènwéi lǎoshī méi shuǐpíng, yīnwèi lǎoshī shàngkè de shíhou lián xuésheng de míngzi dōu jiào bu chūlái, děi ràng xuésheng zìjǐ gàosu lǎoshī. Nǐ shuō zhè néng guài lǎoshī ma?

◎ 根据课文回答问题

Answer the questions according to the text.

1. 中国人的名字一般是谁给取的?
2. 中国取名字有什么讲究?
3. 中国人同名同姓的人为什么很多?
4. 如果有同名同姓的人在一起,应该怎么叫他们?
5. 有些学生为什么认为老师没水平?
6. 老师叫不出来学生的名字,你觉得该怪谁?

◎ 猜一猜,下面的名单里哪几个是中国人? 哪几个是男的,哪几个是女的?

Guess which seem to be Chinese names among the following names. Which names belong to men and which to women?

	周晓美	安娜	田中惠美子	王志刚	里根	尹静	朴泰桓	张强
中国人								
男人								
女人								

◎ 说一说,在你们国家,取名字有什么讲究。

Talk about the rules of choosing names in your country.

Unit
7

语言点 Yǔyándiǎn Language points

✤ The Extended Uses of the Directional Complement

In Chinese, some directional complements do not denote the direction of an action, but rather the result, change, and status of an action. These are extended uses. The following are some common examples.

上

上 can be employed to denote the realization or attainment of a goal, or to indicate the beginning of an action or a status. For example:

1. 我打算先到北京学上半年,然后再到上海学上半年。
2. 现在有很多中国人买上了自己的汽车。
3. 从第一次见面开始,我就爱上她了。
4. 怎么,你们不等我来一起吃,都已经吃上了。

下去

下去 can indicate the continuation of an action. For example:

1. 我一天教你一句，这样坚持下去，你就能说不少了。
2. 每天学 10 个生词，这样学下去，一年就能学 3600 多个生词。
3. 你说得很好，我们都在听着，请你说下去。
4. 她最近又瘦了一公斤，再瘦下去就不好看了。

起来

起来 signals the emergence of a situation or the change of an action. It can also be used in giving explanations and to comment on a specific aspect of a person or thing. For example:

1. 外面下起雨来了。
2. 今天你怎么麻烦起我来了？
3. 提起他来，中国人几乎没有不知道的。
4. 首先得叫起来顺口，听起来顺耳。

出来

出来 can indicate a change from a state of non-existence to existence, or from being concealed to being revealed. For example:

1. 好主意，我怎么就想不出来呢。
2. 那非把他家里人吓出病来不可。
3. 他做的作业里有两个错字，我没看出来。
4. 别问了，再问也问不出来什么，她不会告诉我们的。

⚙ 用趋向补语完成句子

Complete the sentences with directional complements.

1. 什么事情都是说起来容易做_____难。
2. 她刚才还高高兴兴的，怎么突然哭_____了？
3. 她的普通话不太标准，我听_____了，她是广东人。
4. 他没考_____大学，高中毕业以后就工作了。
5. 这首歌真难听，我实在听不_____了。
6. 他太生气了，气得一句话也说不_____。

文化点 Wénhuàdiǎn **Cultural notes**

Chinese people pay particular attention to choosing names. The name of a child is usually decided by a highly respected senior or the parents, or some people may ask a professional "master" for a name. To show respect, Chinese people don't use the same name as their seniors as it is a taboo.

名 (míng, first name) and 字 (zì, honorific name) are different and originally Chinese people had both. 名 is given by the parents at birth and 字 is chosen by the person himself as an adult. For instance, for 毛泽东(Máo Zédōng), 泽东 is the first name and 润之 (Rùnzhī) is his honorific name. He can also be called 毛润之. Currently Chinese people only have a 名, and the word 名字 is used to refer to 名. There are many two-character first names in China. One of the two characters (often the first character) usually indicates the family hierarchy, such as, 泽 also appears in names of Mao Zedong's sisters and brothers. Nowadays, one-character first names are equally common.

Unit
7

Unit 8

Duānwǔ Chuánshuō
端 午 传 说
Legends about the Dragon Boat Festival

学习目标
Learning objectives

* 谈论传说故事

  Talking about legends

* 了解中国民俗

  Understanding Chinese folk customs

* 学习相关词汇和存现句

  Learning related words and existential sentences

下面这些图片表示什么意思？这些东西都和中国的哪个节日有关？

What do the following pictures describe? Which festival are they related to?

除了端午节，你还知道哪些中国的传统节日？

Besides the Dragon Boat Festival, what other Chinese traditional festivals do you know of?

看下面的图片，猜一猜故事的大意。

Look at the following pictures and guess the story behind them.

Unit
8

词语 Cíyǔ Words and Expressions

Text 1

1.	传说	(N.)	chuánshuō	legend
2.	划船		huá chuán	row a boat
3.	龙舟	(N.)	lóngzhōu	dragon boat
4.	前后	(L.W.)	qiánhòu	around (a certain time), about
5.	纪念	(V.)	jìniàn	commemorate, mark
6.	诗人	(N.)	shīrén	poet
7.	关心	(N., V.)	guānxīn	concern; be concerned about
8.	国王	(N.)	guówáng	king
9.	伤心	(Adj.)	shāngxīn	sad
10.	自杀	(V.)	zìshā	commit suicide
11.	当时	(Adv.)	dāngshí	then; at that time
12.	救	(V.)	jiù	save, rescue
13.	向	(Prep.)	xiàng	towards
14.	后来	(Adv.)	hòulái	afterwards, later
15.	粽子	(N.)	zòngzi	*zongzi* (pyramid-shaped dumpling made of glutinous rice wrapped in bamboo or reed leaves)
16.	农历	(N.)	nónglì	lunar calendar

Text 2

17.	蛇	(N.)	shé	snake, serpent
18.	小伙子	(N.)	xiǎohuǒzi	young man
19.	路过	(V.)	lùguò	pass by
20.	突然	(Adv., Adj.)	tūrán	suddenly; sudden
21.	姑娘	(N.)	gūniang	young lady; girl
22.	行为	(N.)	xíngwéi	action, behavior, conduct
23.	结婚	(V.O.)	jiéhūn	get married
24.	和尚	(N.)	héshang	monk

25.	偷偷儿	(Adv.)	tōutōur	stealthily, secretly
26.	妻子	(N.)	qīzi	wife
27.	劝	(V.)	quàn	persuade
28.	按照	(Prep.)	ànzhào	according to
29.	躺	(V.)	tǎng	lie down; recline
30.	躲	(V.)	duǒ	hide oneself
31.	丈夫	(N.)	zhàngfu	husband
32.	打	(V.)	dǎ	fight
33.	对手	(N.)	duìshǒu	rival, opponent, adversary
34.	压	(V.)	yā	press; hold down
35.	故事	(N.)	gùshi	story
36.	改编	(V.)	gǎibiān	adapt, rearrange, revise

Proper nouns

1. 端午节	Duānwǔ Jié	Dragon Boat Festival
2. 屈原	Qū Yuán	Qu Yuan
3. 中国城	Zhōngguó Chéng	Chinatown
4. 杭州	Hángzhōu	Hangzhou
5. 许仙	Xǔ Xiān	Xu Xian
6. 西湖	Xī Hú	West Lake
7. 法海	Fǎhǎi	Fahai (name of a monk)
8. 金山寺	Jīnshān Sì	Jinshan Temple
9. 雷峰塔	Léifēng Tǎ	Leifeng Pagoda
10. 白蛇传	Báishé Zhuàn	*Legend of the White Snake*

Unit
8

⚙ 用本课的生词填空

Fill in the blanks with the new words and expressions.

1. 在那个交通事故中，一个路过的小伙子_____了她。
2. 他是一个好总统，因为他很_____普通人的生活。
3. 他爱上了一个中国姑娘，后来，他跟这个姑娘_____了。
4. 朋友们都_____我不要一个人去那里旅行，说那里太危险了。
5. 这次比赛，我们的_____很强，我担心我们会输。
6. 回家过年是中国人的传统，所以，春节_____，中国的交通特别紧张。

7. 他病得很重，在床上＿＿＿＿＿＿＿＿＿了两个星期。

8. 在中国，＿＿＿＿＿＿＿＿＿是不能喝酒吃肉的，当然，也不能有妻子。

9. 在他们大学，每年都有学生跳楼＿＿＿＿＿＿＿＿＿，不知道是什么原因。

10. 姑娘突然提出要跟他分手，让他＿＿＿＿＿＿＿＿＿了很长时间。

课文一 Kèwén Yī Text 1

扔米饭干什么？
Why Do They Throw Rice?

Jiang Shan and Bai Xiaohong set up a time to meet earlier, though Bai Xiaohong is currently late.

江　山：你怎么搞的，不是说好今天八点半见面吗？

> 说好 refers to an arrangement in which two parties have agreed on how and when to do something.

白小红：对不起，让你久等了。我昨天晚上跟几个朋友玩到十二点多，早上起得晚了，所以就……

> This is an expression of apology meaning "I'm sorry for having made you wait for a long time".

江　山：要是你再不来，我就回去了。这样吧，今天我带你去看大海，还会看到划船比赛呢。

白小红：是吗？这里经常有划船比赛吗？

江　山：经常有。这儿的人很喜欢水上运动，特别是划船。我听说中国有一种特别的划船比赛？

白小红：你说的是中国的龙舟比赛吧？

江　山：是的。龙舟就是像龙一样的船吗？

白小红：没错。不过中国的龙舟比赛一年只有一次。

江　山：什么时候比赛？为什么只有一次？

白小红：比赛在每年的端午节前后。是为了纪念很久以前

的一位很有名的诗人。他的名字叫屈原。屈原
很爱自己的国家，关心普通人的生
活，但是国王不喜欢他。他很伤心，
就跳到河里自杀了。当时有很多人
划船去救他，还一起向河里扔米饭。

> Qu Yuan lived in the state of Chu, during the Warring States Period of ancient China. His poems, such as *Encountering Sorrow* and *Questions to Heaven*, were later included in the collection entitled *The Songs of Chu*.

江　山：扔米饭干什么？

白小红：因为大家担心屈原的身体会被河里的鱼吃掉，
　　　　他们希望鱼吃了米饭，就不要去吃屈原的身体
　　　　了。这种特殊的米饭后来就变成了人们喜欢吃
　　　　的粽子。

江　山：粽子？

白小红：是呀。我想这儿的中国城里肯定有粽子。等到
　　　　了端午节，我请你去吃粽子。

江　山：还有几天是端午节？

白小红：快了，五月初五。

江　山：这不已经是六月了嘛！

白小红：这你就不知道了，我说的是农历。

Unit
8

Pinyin text

Rēng Mǐfàn Gàn Shénme?

Jiāng Shān:　Nǐ zěnme gǎo de, bú shì shuōhǎo jīntiān bā diǎn bàn jiànmiàn ma?

Bái Xiǎohóng:　Duìbuqǐ, ràng nǐ jiǔ děng le. Wǒ zuótiān wǎnshang gēn jǐ gè péngyou
　　　　　　 wán dào shí'èr diǎn duō, zǎoshang qǐ de wǎn le, suǒyǐ jiù …

Jiāng Shān:　Yàoshi nǐ zài bù lái, wǒ jiù huíqù le. Zhèyàng ba, jīntiān wǒ dài nǐ qù
　　　　　　 kàn dàhǎi, hái huì kàndào huá chuán bǐsài ne.

Bái Xiǎohóng:　Shì ma? Zhèlǐ jīngcháng yǒu huá chuán bǐsài ma?

Jiāng Shān:	Jīngcháng yǒu. Zhèr de rén hěn xǐhuan shuǐshàng yùndòng, tèbié shì huá chuán. Wǒ tīngshuō Zhōngguó yǒu yì zhǒng tèbié de huá chuán bǐsài?
Bái Xiǎohóng:	Nǐ shuō de shì Zhōngguó de lóngzhōu bǐsài ba?
Jiāng Shān:	Shì de. Lóngzhōu jiù shì xiàng lóng yíyàng de chuán ma?
Bái Xiǎohóng:	Méi cuò. Búguò Zhōngguó de lóngzhōu bǐsài yì nián zhǐ yǒu yí cì.
Jiāng Shān:	Shénme shíhou bǐsài? Wèi shénme zhǐ yǒu yí cì?
Bái Xiǎohóng:	Bǐsài zài měi nián de Duānwǔ Jié qiánhòu. Shì wèile jìniàn hěn jiǔ yǐqián de yí wèi hěn yǒumíng de shīrén. Tā de míngzi jiào Qū Yuán. Qū Yuán hěn ài zìjǐ de guójiā, guānxīn pǔtōngrén de shēnghuó, dànshì guówáng bù xǐhuan tā. Tā hěn shāngxīn, jiù tiào dào hé li zìshā le. Dāngshí yǒu hěn duō rén huá chuán qù jiù tā, hái yìqǐ xiàng hé li rēng mǐfàn.
Jiāng Shān:	Rēng mǐfàn gàn shénme?
Bái Xiǎohóng:	Yīnwèi dàjiā dānxīn Qū Yuán de shēntǐ huì bèi hé li de yú chīdiào, tāmen xīwàng yú chīle mǐfàn, jiù bú yào qù chī Qū Yuán de shēntǐ le. Zhè zhǒng tèshū de mǐfàn hòulái jiù biànchéngle rénmen xǐhuan chī de zòngzi.
Jiāng Shān:	Zòngzi?
Bái Xiǎohóng:	Shì ya. Wǒ xiǎng zhèr de Zhōngguó Chéng li kěndìng yǒu zòngzi. Děng dàole Duānwǔ Jié, wǒ qǐng nǐ qù chī zòngzi.
Jiāng Shān:	Hái yǒu jǐ tiān shì Duānwǔ Jié?
Bái Xiǎohóng:	Kuài le, wǔ yuè chū wǔ.
Jiāng Shān:	Zhè bú yǐjīng shì liù yuè le ma!
Bái Xiǎohóng:	Zhè nǐ jiù bù zhīdào le, wǒ shuō de shì nónglì.

⚙ **根据课文回答问题**

Answer the questions according to the text.

1. 江山和白小红说好几点见面？
2. 白小红为什么来晚了？
3. 中国经常有龙舟比赛吗？
4. 屈原为什么要自杀？
5. 大家为什么要向河里扔米饭？
6. 白小红准备什么时候、在哪里请江山吃粽子？

⚙ **根据课文填空**

Fill in the blanks according to the text.

中国的龙舟比赛一年只有一次，时间是在端午节_____。这个习俗是为了_____屈原。屈原是古代一位很有名的_____，很爱自己的_____，关心普通人的生活，但是_____不喜欢他。他很伤心就跳到河里_____了。当时有很多人划船去救他，还向河里_____米饭。因为他们担心屈原的身体会_____河里的鱼吃_____，希望鱼吃了米饭，就不要去吃屈原了。后来，这种特殊的米饭就变成了人们喜欢吃的_____。

课文二 Kèwén Èr **Text 2**

白蛇传

Legend of the White Snake

很久以前，杭州有一个叫许仙的小伙子。有一天，许仙路过西湖，突然下起了大雨，许仙看见两位姑娘没带雨伞，就把自己的雨伞给了她们。两位姑娘被许仙的行为感动了，其中穿白衣服的那位姑娘爱上了许仙。后来两个人结了婚，生活很幸福。

有一天，许仙家来了一个老和尚，名字叫法海。法海偷偷儿地告诉许仙，他的妻子是一条白蛇变成的。许

> This is a sentence without a subject. In Chinese, when referring to natural phenomena, this kind of sentence is usually employed. For example: 下雨了。/ 下雪了。/ 出太阳了。/ 刮风了。

仙不相信，法海就让他在端午节那天劝妻子喝酒，看看会发生什么事。

端午节中午，许仙按照法海的话劝妻子喝酒。他妻子本来不肯喝，但是许仙一定要她喝。妻子没办法，只喝了一杯就说不舒服，回房间睡了。过了一会儿，许仙走进房间一看，发现床上躺着一条白蛇。

许仙吓坏了，躲进了法海的金山寺。白蛇去金山寺要丈夫，和法海打了起来，她不是法海的对手，最后让法海压在西湖旁边的雷峰塔下面。这个故事后来被改编成了京剧《白蛇传》。

Pinyin text

Bái Shé Zhuàn

Hěn jiǔ yǐqián, Hángzhōu yǒu yí gè jiào Xǔ Xiān de xiǎohuǒzi. Yǒu yì tiān, Xǔ Xiān lùguò Xī Hú, tūrán xiàqǐle dàyǔ, Xǔ Xiān kànjiàn liǎng wèi gūniang méi dài yǔsǎn, jiù bǎ zìjǐ de yǔsǎn gěile tāmen. Liǎng wèi gūniang bèi Xǔ Xiān de xíngwéi gǎndòng le, qízhōng chuān bái yīfu de nà wèi gūniang àishàngle Xǔ Xiān. Hòulái liǎng gè rén jiéle hūn, shēnghuó hěn xìngfú.

Yǒu yì tiān, Xǔ Xiān jiā láile yí gè lǎo héshang, míngzi jiào Fǎhǎi. Fǎhǎi tōutōur de gàosu Xǔ Xiān, tā de qīzi shì yì tiáo bái shé biànchéng de. Xǔ Xiān bù xiāngxìn, Fǎhǎi jiù ràng tā zài Duānwǔ Jié nà tiān quàn qīzi hē jiǔ, kànkan huì fāshēng shénme shì.

Duānwǔ Jié zhōngwǔ, Xǔ Xiān ànzhào Fǎhǎi de huà quàn qīzi hē jiǔ. Tā qīzi běnlái bù kěn hē, dànshì Xǔ Xiān yídìng yào tā hē. Qīzi méi bànfǎ, zhǐ hēle yì bēi jiǔ shuō bù shūfu, huí fángjiān shuì le. Guòle yíhuìr, Xǔ Xiān zǒujìn fángjiān yí kàn, fāxiàn chuáng shang tǎngzhe yì tiáo bái shé.

Xǔ Xiān xiàhuài le, duǒjìnle Fǎhǎi de Jīnshān Sì. Bái shé qù Jīnshān Sì yào zhàngfu, hé Fǎhǎi dǎle qǐlái, tā bú shì Fǎhǎi de duìshǒu, zuìhòu ràng Fǎhǎi yā zài Xī Hú pángbiān de Léifēng Tǎ xiàmiàn. Zhège gùshi hòulái bèi gǎibiān chéngle jīngjù 《Bái Shé Zhuàn》.

⚙ 根据课文回答问题

Answer the questions according to the text.

1. 许仙和妻子是怎么认识的？
2. 法海让许仙干什么？
3. 许仙为什么一定要妻子喝酒？
4. 许仙为什么躲到了金山寺？
5. 白蛇要到丈夫了吗？

⚙ 为《白蛇传》下面一段情节写出许仙和他妻子的台词，并表演

Write the lines for Xu Xian and his wife according to the following plot and then act out the roles.

　　端午节中午，许仙按照法海的话劝妻子喝酒。他妻子本来不肯喝，但是许仙一定要她喝。妻子没办法，只喝了一杯就说不舒服，回房间睡了。过了一会儿，许仙走进房间一看，发现床上躺着一条白蛇。

⚙ 说一个你们国家的传说故事

Tell a legend from your country.

语言点 Yǔyándiǎn Language points

❧ Sentence of Existence and Appearance

In Chinese, location words can appear at the beginning of the sentence to denote the place where somebody or something exists or appears. This kind of sentence is called an existential sentence.

Sentences Denoting Existence

Besides the 地方 + 有 + 人 / 东西 formula we have already learned, the following is another structure that denotes existence:

place + V. 着 / 了 + sb. / sth. (non-specific noun)

For example:
1. 床上躺着一条白蛇。
2. 教室里坐着很多学生。
3. 桌子上放着一本书。
4. 墙上挂了一张世界地图。
5. 院子里停了三辆车。

Unit
8

Sentences Denoting Appearance

In Chinese, the following structure can be used to indicate where somebody or something apppears:

place + V. … + sb. / sth. (non-specific noun)

Verbs forming part of this construction are usually followed by directional complements. For example:
1. 有一天，许仙家来了一个老和尚。
2. 我家昨天来了几位客人。
3. 门开了，屋里走出一个漂亮姑娘。
4. 前面开来了一辆出租汽车。

⚙ 组词造句
Write sentences with the given words.
1. 桌子　　一瓶花儿　　放
2. 房间　　一些学生　　坐
3. 墙　　一幅画　　挂
4. 黑板　　很多字　　写
5. 教室里　　很多学生　　走出来
6. 宿舍前面　　一只猫　　跑过来

文化点 Wénhuàdiǎn **Cultural notes**

On the fifth day of the fifth month of the lunar calendar is the Dragon Boat Festival, a day to remember the patriotic poet Qu Yuan. People make *zongzi* and hold dragon boat races in memory of him. *Zongzi* in the north usually tastes sweet and salty in the south.

Besides the Dragon Boat Festival, other Chinese traditional festivals include the Spring Festival, Lantern Festival, Tomb Sweeping Festival, Qixi Festival, Mid-autumn Festival, Double Ninth Festival, the Winter Solstice, etc.

Spring Festival (春节 Chūn Jié) falls on the first day of the first lunar month and is the Chinese New Year. The night before is 除夕 (Chúxī), also called 年三十 (niánsānshí), when people eat Lunar New Year's dinner. On the first day of the festival people will extend New Year greetings and ring in the new year.

Lantern Festival (元宵节 Yuánxiāo Jié) occurs on the 15th day of the first lunar month. People usually spend it eating sweet dumplings called *yuanxiao*, viewing lanterns and solving lantern riddles.

Tomb Sweeping Festival (清明节 Qīngmíng Jié) falls on or around April 5. On this day people will visit the graves of their deceased family members and ancestors to pay their respect, or go on a spring outing.

On the seventh day of the seventh lunar month, people celebrate the Qixi Festival (七夕 Qīxī), or

Chinese Valentine's Day. As the legend goes, a lowly cowherd and a heavenly maid meet upon a bridge of magpies over the Sky River once a year on that day.

Mid-autumn Festival (中秋节 Zhōngqiū Jié) is held on the 15th day of the eighth lunar month. It is a day for family reunion, eating moon cakes and enjoying the view of the full moon.

Double Ninth Festival (重阳节 Chóngyáng Jié) is celebrated on the ninth day of the ninth lunar month. On this day people climb mountains, appreciate chrysanthemums and drink wine. As it is a day deemed to signify longevity, it is also taken as the Senior Citizen's Day in China.

Winter Solstice (冬至 Dōngzhì) occurs around December 22. In old times people attached great importance to this day because it was the shortest day of the year, after which daytime would lengthen again. It is also the beginning of a new cycle of solar terms. In some areas people pay respect to heaven and their ancestors on this day.

Unit
8

Unit 9

Fūzǐ Bānjiā
夫子 搬 家
Confucius Moving His House

学习目标

Learning objectives

* 了解歇后语和古语

  Understanding Chinese two-part allegorical sayings and old sayings

* 了解孔子和儒家文化

  Getting to know Confucius and Confucian culture

* 学习相关词汇，以及常用介词用法小结

  Learning related words and the uses of common prepositions

不同的时代，书的形式也不同。请将这些书按出现的时间顺序排列。

Books have been taking different forms over history. Please put the following books in the right order.

查一下资料，简单讲一下孔子的生平。

Search for information about Confucius and give a brief account of his life.

Unit
9

词语 Cíyǔ Words and Expressions

Text 1

1.	搭档	(N., V.)	dādàng	partner; team up
2.	绝对	(Adv.)	juéduì	absolutely, definitely
3.	古代	(N.)	gǔdài	ancient times
4.	学问	(N.)	xuéwen	wisdom, knowledge
5.	教授	(N.)	jiàoshòu	professor
6.	替	(V., Prep.)	tì	take the place of; on behalf of
7.	别说…		biéshuō…	let alone …; not to mention …
8.	关于	(Prep.)	guānyú	about
9.	过奖	(V.)	guòjiǎng	flatter; praise too much
10.	记载	(N., V.)	jìzǎi	record, documentation; make a record of
11.	关系	(N.)	guānxì	relation (to sth.)
12.	竹子	(N.)	zhúzi	bamboo
13.	输	(V.)	shū	lose
14.	赢	(V.)	yíng	win

Text 2

15.	逛	(V.)	guàng	stroll
16.	公园	(N.)	gōngyuán	park
17.	印象	(N.)	yìnxiàng	impression
18.	深	(Adj.)	shēn	deep
19.	书店	(Adj.)	shūdiàn	bookstore
20.	忍不住		rěnbuzhù	unable to endure/bear; cannot help doing sth.
21.	至少	(Adv.)	zhìshǎo	at least
22.	印刷	(V.)	yìnshuā	print
23.	包装	(N., V.)	bāozhuāng	packaging, wrapping; package

24.	货	(N.)	huò	merchandise, goods
25.	电子书	(N.)	diànzǐshū	e-book
26.	纸质书	(N.)	zhǐzhìshū	paper book
27.	并	(Adv.)	bìng	just (used in front of a negative phrase for emphasis)
28.	书房	(N.)	shūfáng	study
29.	摆	(V.)	bǎi	place
30.	客人	(N.)	kèrén	guest, visitor
31.	显得	(V.)	xiǎnde	appear, seem
32.	主人	(N.)	zhǔrén	owner
33.	知识	(N.)	zhīshi	knowledge
34.	尤其	(Adv.)	yóuqí	especially
35.	以外	(N.)	yǐwài	other than; aside from; besides
36.	客厅	(N.)	kètīng	living room
37.	亲眼	(Adv.)	qīnyǎn	with one's own eyes; personally
38.	居然	(Adv.)	jūrán	unexpectedly; to one's surprise; actually

Proper nouns

1.	孔夫子	Kǒng Fūzǐ	Confucius
2.	上海书城	Shànghǎi Shūchéng	Shanghai Book City
3.	郑	Zhèng	Zheng (surname)

⚙ **用本课的生词填空**
Fill in the blanks with the new words and expressions.

1. 去年我去桂林旅行，那儿美丽的风景给我留下了非常_____的印象。
2. 他是一位著名的教授，难怪这么有_____。
3. 汉语的发音比较难，_____是声调。
4. 历史上有很多_____孔子的故事，如果你有兴趣，我以后讲给你听。
5. 她想去_____街，他想去看博物馆，他们俩各有各的主意。
6. 看着他稀奇古怪的打扮，我们都_____笑了起来。
7. 师傅，请你把这些东西_____一下，要漂亮一些，我要送人。
8. 他家的客厅里放着一排书架，书架上_____着很多古书。
9. 他们第一次参加比赛，所以_____有点儿紧张。
10. 这是我_____看见的，绝对没错儿。

孔夫子是谁?

Who Is Confucius?

Zhang Lin is forced by Jiang Shan to play basketball with Ding Hansheng.

江山：咱们四个人比赛打篮球吧，我和杰克搭档，张老
师和丁汉生搭档。

张林：不行，不行。我们两个跟你们两个比赛打篮球，
绝对是"孔夫子搬家——"

江山：孔夫子是谁?

张林：就是<u>孔子</u>。他是中国古代最有
学问的人。

> Confucius (551- 479 BC) was a famous educator and thinker in ancient China, as well as the founder of the Confucian school of philosophy. He was honored by later generations as a sage. The most famous Confucian Temple is located in his hometown Qufu City, Shandong Province.

江山：我想起来了，他是一个有名的"教授"，他对学生
说过一句话，意思好像是"学习要经常练习"。

张林："<u>学而时习之</u>"。

> This phrase and 有朋自远方来，不亦(yì)乐(lè)乎" are both phrases from the *Analects of Confucius.*

江山：还有一句，是"有朋友从很远
的地方来……"

张林：我替你说吧，"有朋自远方来，不亦乐乎"。

江山：对，对。有朋友从很远的地方来是让人很高兴的
事儿。古代的句子很难，我总是记不住。

张林：别说你了，就是中国人也很难记住。真看不出来，
关于孔子的事，你知道得还挺多。

江山：您过奖了。刚才您说的孔夫子搬家我就不知道。
他经常搬家吗?

张林：可能吧，我也说不清楚。根据历史记载，他去过

很多地方。

江山：那您说孔夫子搬家是什么意思？他搬家不搬家跟我们比赛有什么关系？

张林：当然有关系。你想一想，孔夫子是中国古代最有学问的人，他家里什么东西最多？

江山：什么东西最多？是书吧？

张林：真聪明。那时候的书和现在的书不一样，都是用竹子做的，很重很重。

江山：我还是不明白，孔夫子的书又多又重，跟我们比赛有什么关系？

张林：孔夫子的书是念"shū"，比赛输赢的"输"也是念"shū"。你想想，我们和你们比赛打篮球，那还能有什么结果？肯定是"孔夫子搬家——尽是输"啦。

Confucius moving his house — nothing but "shu" (书 shū, book; 输 shū, to lose). This is one kind of Chinese idiomatic expression. It is a two-part allegorical saying, the first part of which (always stated) is descriptive, while the second part (sometimes omitted) carries the "message". Another example: 外甥打灯笼——照旧（舅）which means nephew carrying a lantern — giving light to his uncle (homophone to: same as before).

Pinyin text

Kǒng Fūzǐ Shì Shéi?

Jiāng Shān: Zánmen sì gè rén bǐsài dǎ lánqú ba, wǒ hé Jiékè dādàng, Zhāng lǎoshī hé Dīng Hànshēng dādàng.

Zhāng Lín: Bùxíng, bùxíng. Wǒmen liǎng gè gēn nǐmen liǎng gè bǐsài dǎ lánqú, juéduì shì "Kǒng Fūzǐ bānjiā—"

Jiāng Shān: Kǒng Fūzǐ shì shéi?

Zhāng Lín: Jiù shì Kǒngzǐ. Tā shì Zhōngguó gǔdài zuì yǒu xuéwen de rén.

Jiāng Shān: Wǒ xiǎng qǐlái le, tā shì yí gè yǒumíng de "jiàoshòu", tā duì xuéshēng shuōguo yí jù huà, yìsi hǎoxiàng shì "Xuéxí yào jīngcháng liànxí".

Zhāng Lín: "Xué ér shí xí zhī".

Jiāng Shān: Hái yǒu yí jù, shì "Yǒu péngyou cóng hěn yuǎn de dìfang lái…"

Zhāng Lín: Wǒ tì nǐ shuō ba, "Yǒu péng zì yuǎnfāng lái, bú yì lè hū".

Jiāng Shān: Duì, duì. Yǒu péngyou cóng hěn yuǎn de dìfang lái shì ràng rén hěn gāoxìng de shìr. Gǔdài de jùzi hěn nán, wǒ zǒngshì jìbuzhù.

Zhāng Lín: Bié shuō nǐ le, jiù shì Zhōngguórén yě hěn nán jìzhù. Zhēn kàn bu chūlái, guānyú Kǒngzǐ de shì, nǐ zhīdào de hái tǐng duō.

Jiāng Shān: Nín guòjiǎng le. Gāngcái nín shuō de Kǒng Fūzǐ bānjiā wǒ jiù bù zhīdào. Tā jīngcháng bānjiā ma?

Zhāng Lín: Kěnéng ba, wǒ yě shuō bu qīngchu. Gēnjù lìshǐ jìzǎi, tā qùguo hěn duō dìfang.

Jiāng Shān: Nà nín shuō Kǒng Fūzǐ bānjiā shì shénme yìsi? Tā bānjiā bu bānjiā gēn wǒmen bǐsài yǒu shénme guānxì?

Zhāng Lín: Dāngrán yǒu guānxì. Nǐ xiǎng yi xiǎng, Kǒng Fūzǐ shì Zhōngguó gǔdài zuì yǒu xuéwen de rén, tā jiā li shénme dōngxi zuì duō?

Jiāng Shān: Shénme dōngxi zuì duō? Shì shū ba?

Zhāng Lín: Zhēn cōngmíng. Nà shíhou de shū hé xiànzài de shū bù yíyàng, dōu shì yòng zhúzi zuò de, hěn zhòng hěn zhòng.

Jiāng Shān: Wǒ háishi bù míngbai, Kǒng Fūzǐ de shū yòu duō yòu zhòng, gēn wǒmen bǐsài yǒu shénme guānxì?

Zhāng Lín: Kǒng Fūzǐ de shū shì niàn "shū", bǐsài shūyíng de "shū" yě shì niàn "shū". Nǐ xiǎngxiang, wǒmen hé nǐmen bǐsài dǎ lánqiú, nà hái néng yǒu shénme jiéguǒ? Kěndìng shì "Kǒng Fūzǐ bān jiā—jìn shì shū" la.

⚙ 根据课文回答问题

Answer the questions according to the text.

1. 孔夫子是谁?
2. 孔夫子经常搬家吗?
3. 古代的书是用什么做的?
4. 张林为什么不愿意和江山比赛打篮球?
5. "孔夫子搬家"是什么意思?

⚙ 根据课文填空

Fill in the blanks according to the text.

孔子是中国古代最有_____的人。他说过很多有名的话,比如"学而学而时习之",意思是"学习要经常_____"。还有一句"有朋自远方来,不亦乐乎",意思是"有朋友从很远的地方来,不是一件很_____人高兴的事儿吗?"

_____历史记载,孔子去过很多地方,也就是说,他得_____搬家。孔子家里除了书以外,没别的东西。古时候的书都是用_____做的,很_____,搬起来很麻烦。所以,中国有这么一句话:"孔夫子搬家——尽是_____"。不过,这句话其实有另外一个意思,是说比赛的时候总是

"_____"。因为在汉语里这两个词的发音是一样的。

 课文二 Kèwén Èr **Text 2**

时习书屋
The Shixi Study Room

到上海一个月了，王英带我去逛了很多地方：商店、公园、博物馆。我印象最深的是上海书城。我第一次见到那么大的书店，那么多人在买书。我也忍不住买了几本，还替我女朋友买了一本。

中国朋友告诉我，现在的书很贵。要是在十年前，一二十块钱能买到一本挺好的书；现在至少要四五十块钱。不过，现在的书<u>贵是贵</u>，可

> **This means "it's true that it is expensive, but..." Another example: 中国菜好吃是好吃，不过油多了点儿.**

印刷、包装得越来越漂亮，<u>一分钱一分货</u>嘛。当然，你也可以买电子书，电子书便宜是便宜，不过我觉得还是纸质书看起来更舒服。

> This means "expensive merchandise is of better quality, cheap merchandise is often of low quality."

很多中国人喜欢买书。有的是给自己买，也有的是为孩子买，还有的是替朋友买。有些人把书买回家以后并不看，就放在书房，摆在那儿给客人看。家里的书越多，就越显得主人有知识，有学问。

但有些人，尤其是大学教授，喜欢在家里看书，不愿意去图书馆。我去过一位姓郑的教授家。他把自己的家叫作"时习书屋"，就是"学而时习之"的"时习"。除了厨房以外，郑教授家几乎每个房间都是书——包括客厅、卧室和卫生间，看起来真是"时时学习"。他家的书太多了，床就没地方放了，他和妻子就睡在书上。要不是亲眼看见，我绝对不相信居然有这样的事儿。

Pinyin text

Shíxí Shūwū

Dào Shànghǎi yí gè yuè le, Wáng Yīng dài wǒ qù guàngle hěn duō dìfang: shāngdiàn, gōngyuán, bówùguǎn. Wǒ yìnxiàng zuì shēn de shì Shànghǎi Shūchéng. Wǒ dì-yī cì jiàndào nàme dà de shūdiàn, nàme duō rén zài mǎi shū. Wǒ yě rěnbuzhù mǎile jǐ běn, hái tì wǒ nǚpéngyou mǎile yì běn.

Zhōngguó péngyou gàosu wǒ, xiànzài de shū hěn guì. Yàoshi zài shí nián qián, yī-èrshí kuài qián néng mǎidào yì běn tǐng hǎo de shū; xiànzài zhìshǎo yào sì-wǔshí kuài qián. Búguò, xiànzài de shū guì shì guì, kě yìnshuā, bāozhuāng de yuèláiyuè piàoliang, yì fēn qián yì fēn huò ma. Dāngrán, nǐ yě kěyǐ mǎi diànzǐshū, diànzǐshū piányi shì piányi, búguò wǒ juéde háishi zhǐzhìshū kàn qǐlái gèng shūfu.

Hěn duō Zhōngguórén xǐhuan mǎi shū. Yǒude shì gěi zìjǐ mǎi, yě yǒude shì wèi háizi mǎi, hái yǒude shì tì péngyou mǎi. Yǒuxiē rén bǎ shū mǎihuí jiā yǐhòu bìng bú kàn, jiù fàng zài shūfáng, bǎi zài nàr gěi kèrén kàn. Jiā li de shū yuè duō, jiù yuè xiǎnde zhǔrén yǒu zhīshi, yǒu xuéwen.

Dàn yǒuxiē rén, yóuqí shì dàxué jiàoshòu, xǐhuan zài jiā li kàn shū, bú yuànyì qù túshūguǎn. Wǒ qùguo yí wèi xìng Zhèng de jiàoshòu jiā. Tā bǎ zìjǐ de jiā jiàozuò "Shíxí Shūwū", jiùshì "xué ér shí xí zhī" de "shíxí". Chúle chúfáng yǐwài, Zhèng jiàoshòu jiā jīhū měi gè fángjiān dōu shì shū——bāokuò kètīng, wòshì hé wèishēngjiān, kàn qǐlái zhēnshì "shíshí xuéxí". Tā jiā de shū tài duō le, chuáng jiù méi dìfang fàng le, tā hé qīzi jiù shuì zài shū shang. Yào bú shì qīnyǎn kànjiàn, wǒ juéduì bù xiāngxìn jūrán yǒu zhèyàng de shìr.

⚙ **根据课文回答问题**
Answer the questions according to the text.
1. "我"对上海的哪个地方印象最深？为什么？
2. 中国以前的书怎么样？现在的书怎么样？
3. 中国人为什么喜欢买书？
4. 郑教授家哪个地方没有书？
5. "我"本来不相信什么事儿？

⚙ **有人喜欢纸质书，有人喜欢电子书。你觉得它们都有什么优点和缺点？**
Some people like paper books, some like electronic books. Which do you like and why?

	优点	缺点		优点	缺点
纸质书			电子书		

⚙ **郑教授喜欢书，家里的书很多，把自己家叫作"时习书屋"。试一试，你给自己家也起个名字。**
Professor Zheng likes books and there are many books in his house, so he calls his house the Shixi Study Room. Try to think of a name for your home.

语言点 Yǔyándiǎn **Language points**

❀ Summary of Prepositions

Some prepositions in Chinese are unique. Some have identical or similar meanings. Below are some prepositions we have learned:

和 and 跟 (with)

The meaning and usage of these two prepositions are almost the same, however, 跟 is used more often in spoken language. For example:

1. 我和杰克搭档，张老师和丁汉生搭档。
2. 昨天晚上你和谁在一起？
3. 这事和你没关系。
4. 我们两个跟你们两个比赛打篮球。
5. 他搬家不搬家跟我们比赛有什么关系？
6. 他不喜欢别人跟他开玩笑。

为，给 and 替 (for)

These three prepositions can all be used to introduce the beneficiary of the action. For example:

1. 我也忍不住买了几本，还替我女朋友买了一本。
2. 有的是给自己买，也有的为孩子买，还有的是替朋友买。
3. 你也应该替别人想想，大家都不容易。
4. 我的工作就是为客人服务。
5. 我给你介绍一个男朋友吧。

为 can also be used to introduce a cause or purpose. For example:

6. 大家都正为这件事高兴呢。
7. 他正在为参加考试做准备。

给 can also be used to introduce the receiver of the action. For example:

8. 要是有什么事情，你就给我打电话。

向 and 往 (toward)

Both of these two words can describe the direction of an action. However, 往 is used more frequently in spoken language. For example:

1. 人们担心屈原的身体会被河里的鱼吃掉，就一起向河里扔米饭。
2. 小心！别向下看。
3. 往左拐，再穿过一条马路就到了。

关于 (as for; about)

关于 usually appears at the beginning of a sentence. For example:

1. 关于孔子的事，你知道的还挺多。
2. 关于这件事，我知道的就是这些。
3. 关于时间问题，我们还没有最后决定。
4. 关于这个问题，等我们老板回来以后再说吧。

根据 (according to)

This introduces the presupposition or circumstances of an action. For example:

1. 根据历史记载，他去过很多地方。
2. 根据统计，光姓张的就有一亿多人。（第 7 单元）
3. 老师会根据你的水平决定你在哪个班学习。
4. 根据我对他的了解，他绝对不会干这种事儿。

按照 (according to)

This introduces the specific requirements or standards that the action is in compliance with. For example:

1. 端午节中午，许仙按照法海的话劝妻子喝酒。（第 8 单元）
2. 你为什么不按照我的话去做?
3. 按照中国人的习惯，结婚要请人吃糖。

按照 can sometimes be abbreviated as either 按 or 照. For example:

4. 我已经按 / 照你说的做了。

用下面的介词填空

Fill in the blanks with the given prepositions.

往　　给　　替　　为　　向　　跟　　根据　　按照　　关于

1. ＿＿＿汉语晚会的时间，老师还没有最后决定。

2. 一直＿＿＿前走，就是博物馆。

3. 每个国家都有自己的优点，我们要多＿＿＿别的国家学习。

4. 你别去了，我＿＿＿你买一点儿就是了。

5. ＿＿＿原来的计划，我们现在应该去访问几位农民。

6. 你把这句话＿＿＿我翻译一下，可以吗？

⚙ **修改病句**

Correct the grammatical errors in the sentences.

1. 我喜欢吃日本菜和法国菜和泰国菜。

2. 我在上海学习汉语，和我也去了很多别的地方。

3. 他正在替花浇水。

4. 今天我介绍关于我的家乡。

5. 我们应该学习关于历史。

6. 根据老师，我们下星期放假。

文化点 Wénhuàdiǎn Cultural notes

Confucius (551-479 BC) was a great thinker, educator and politician during the Spring and Autumn Period in Chinese history. He was the founder of Confucianism, and the core principles of his thoughts were 仁 (rén, Ren) and 礼 (lǐ, Li): Ren means loving people, which is based on individuals' self virtues; Li means social institutions. Ren and Li form an ideal society for Confucius and became the golden rule of Confucianism, which dominated ancient China for a long time.

The philosophy of Confucius has had a deep impact on the lives of Chinese people. For example, Chinese people abide by the principles of "Do not do unto others what you do not want done unto you" and "One should choose people of virtue plus ability, and virtue before ability (when choosing officials)". When communicating with each other, Chinese people show respect to elders and those in higher position, besides paying attention to etiquette.

Unit 10

Qíngōng-jiǎnxué
勤 工 俭 学
Part-time Work and Part-time Study

学习目标

Learning objectives

* 讨论兼职与就业话题

  Talking about part-time work and occupations

* 表达希望和心理活动

  Expressing wishes and mental activities

* 学习相关词汇，以及常用副词用法小结

  Learning related words and a summary of the uses of common adverbs

Unit
10

他们是做什么工作的？
What do they do?

你做过哪些兼职工作？
What part-time jobs have you ever done?

在你们国家，现在大学毕业生找工作容易吗？
Is it easy for a college graduate to find a job in your country nowadays?

查询相关信息，了解一下中国的年轻人一般喜欢选择什么样的工作，为什么？
Search for information about jobs young Chinese people would most likely prefer and the reasons.

词语 Cíyǔ **Words and Expressions**

Text 1

1.	活动	(N., V.)	huódòng	activity; do exercises
2.	勤工俭学	(V.)	qíngōng-jiǎnxué	part-work and part-study
3.	信息	(N.)	xìnxī	information, message
4.	兼职	(N.)	jiānzhí	part time (job)
5.	不如	(V.)	bùrú	not as good as; inferior to
6.	招聘	(V.)	zhāopìn	invite applications for a job; recruit
7.	收入	(N., V.)	shōurù	earnings; earn an amount of money
8.	广告	(N.)	guǎnggào	advertisement
9.	助理	(N.)	zhùlǐ	assistant
10.	应聘	(V.)	yìngpìn	apply for a job
11.	适合	(V.)	shìhé	be suitable to; be appropriate to
12.	耽误	(V.)	dānwu	delay; hold up
13.	要求	(V., N.)	yāoqiú	require, demand; requirement
14.	内容	(N.)	nèiróng	content, details
15.	整理	(V.)	zhěnglǐ	put in order; sort out
16.	报酬	(N.)	bàochóu	reward, remuneration
17.	清	(Adj.)	qīng	clear, distinct
18.	报名	(V.)	bàomíng	register
19.	成功	(N., V.)	chénggōng	success; succeed

Text 2

20.	庄重	(Adj.)	zhuāngzhòng	serious, solemn
21.	闹钟	(N.)	nàozhōng	alarm clock
22.	满意	(Adj.)	mǎnyì	satisfied, pleased

Unit
10

23.	解决	(V.)	jiějué	solve, settle
24.	户口	(N.)	hùkǒu	registered permanent residence (in China)
25.	竞争	(V.)	jìngzhēng	compete
26.	面试	(N., V.)	miànshì	interview
27.	干脆	(Adv., Adj.)	gāncuì	simply; straightforward, just
28.	连衣裙	(N.)	liányīqún	one-piece dress
29.	性感	(Adj.)	xìnggǎn	sexy
30.	随手	(Adv.)	suíshǒu	casually
31.	吊带裙	(N.)	diàodàiqún	slip dress
32.	犹豫	(V., Adj.)	yóuyù	hesitate; hesitant
33.	养神	(V.O.)	yǎngshén	rest, repose
34.	响	(V., Adj.)	xiǎng	make a sound; loud
35.	化妆	(V. O.)	huàzhuāng	apply makeup
36.	套装	(N.)	tàozhuāng	suit, outfit
37.	自信	(N., Adj.)	zìxìn	self confidence; self confident

⚙ **用本课的生词填空**

Fill in the blanks with the new words and expressions.

1. 这次活动因为没有好好儿准备，所以不太_____。
2. 房间里的图书又多又乱，应该_____一下了。
3. 看病难的问题已经讨论了很多年了，明年一定要_____。
4. 他们正在_____经理助理呢，你快去应聘吧。
5. 想要参加这次活动的人，请在本月底以前在网上_____。
6. 他读的是医学，虽然现在学费很贵，不过，将来工作以后_____也很高。
7. 这家商店的东西很好，服务员也非常热情，我对这家商店很_____。
8. 别犹豫了，你要是觉得这工作不好，那你_____就别干了，还怕找不到新工作吗？
9. 参加毕业典礼，应该穿一身比较_____的衣服，不能穿得很随便。
10. 他睡得太沉了，闹钟_____了三遍，都没把他闹醒。

做什么的都有

They Do Every Possible Job

On the street, Jack runs into his good friend Chen Jing.

杰克：哎，陈静，你去哪儿呀？

陈静：哦，是杰克啊！我去学生活动中心，想看看有没有勤工俭学的信息。

杰克：哦？你想找个兼职？

陈静：嗯，这不就要放假了嘛，我不回家，想找个活儿干。

杰克：是啊，回家也没什么事，还不如去打工呢。

陈静：对了，你们一般都做什么样的兼职？

杰克：做什么的都有。你可以看看网上的招聘信息，多着呢。

陈静：嗯。我只想在学校勤工俭学，虽然收入可能没有外面的兼职高，但是不用往外面跑，很方便，而且还有时间看看书。

杰克：对了，图书馆前几天不是发了个广告吗，说要招聘学生助理，你可以去应聘啊！这个工作很适合你，既不用往外头跑，又不耽误看书。

陈静：真的吗？我怎么没看到？广告上怎么说的？

杰克：你才知道啊！好像是要求周末和晚上上班，工作内容就是整理整理图书什么的。

陈静：报酬呢？

杰克：我记不清了。你还是去图书馆问问吧，就在图书馆报名。

陈静：好！谢谢你！那我走了，咱们再聊。

杰克：祝你成功！

Pinyin text

Zuò Shénme De Dōu Yǒu

Jiékè:	Āi, Chén Jìng, nǐ qù nǎr ya?
Chén Jìng:	Ò, shì Jiékè a! Wǒ qù xuéshēng huódòng zhōngxīn, xiǎng kànkan yǒu méiyǒu qínggōng-jiǎnxué de xìnxī.
Jiékè:	Ó? Nǐ xiǎng zhǎo gè jiānzhí?
Chén Jìng:	Èn, zhè bú jiùyào fàngjiàle ma, wǒ bù huí jiā, xiǎng zhǎo gè huór gàn.
Jiékè:	Shì a, huí jiā yě méi shénme shì, hái bùrú qù dǎgōng ne.
Chén Jìng:	Duìle, nǐmen yìbān dōu zuò shénme yàng de jiānzhí?
Jiékè:	Zuò shénme de dōu yǒu. Nǐ kěyǐ kànkan wǎng shang de zhāopìn xìnxī, duō zhene.
Chén Jìng:	Èn. Wǒ zhǐ xiǎng zài xuéxiào qínggōng-jiǎnxué, suīrán shōurù kěnéng méiyǒu wàimiàn de jiānzhí gāo, dànshì búyòng wǎng wàimiàn pǎo, hěn fāngbiàn, érqiě hái yǒu shíjiān kànkan shū.
Jiékè:	Duìle, túshūguǎn qián jǐ tiān bú shì fāle gè guǎnggào ma, shuō yào zhāopìn xuéshēng zhùlǐ, nǐ kěyǐ qù yìngpìn a! Zhège gōngzuò hěn shìhé nǐ, jì búyòng wǎng wàitou pǎo, yòu bù dānwu kànshū.
Chén Jìng:	Zhēnde ma? Wǒ zěnme méi kàndào? Guǎnggào shang zěnme shuō de?
Jiékè:	Nǐ cái zhīdào a! Hǎoxiàng shì yāoqiú zhōumò hé wǎnshang shàngbān, gōngzuò nèiróng jiùshì zhěnglǐ zhěnglǐ túshū shénmede.
Chén Jìng:	Bàochóu ne?
Jiékè:	Wǒ jìbuqīng le. Nǐ háishi qù túshūguǎn wènwen ba, jiù zài túshūguǎn bàomíng.
Chén Jìng:	Hǎo! Xièxie nǐ! Nà wǒ zǒu le, zánmen zài liáo.
Jiékè:	Zhù nǐ chénggōng!

⚙ 根据课文回答问题

Answer the questions according to the text.

1. 陈静正要去哪儿？为什么？
2. 陈静放假回家吗？
3. 陈静为什么不想在外面找兼职？
4. 杰克是怎么知道图书馆招聘学生助理的？
5. 图书馆学生助理的工作内容是什么？

⚙ 根据课文填空

Fill in the blanks according to the text.

陈静放假不回家，打算_____个活儿干，于是，她想去学生_____中心看看兼职信息。她只想在学校里找_____的工作，她觉得_____收入可能没有在外面打工高，_____很方便，_____她还有时间看书。杰克告诉她，图书馆正在_____学生助理，工作_____就是整理整理图书，不过，_____什么的他记不清了。陈静对这个兼职工作很感兴趣，觉得这份工作很_____自己。

课文二 Kèwén Èr **Text 2**

还是庄重点儿好
Better Wear Formal Clothes

钱平平看了看闹钟，还不到五点半。她想再睡一会儿，可是怎么也睡不着。大学毕业都快三个月了，还没有找到满意的工作。这一次好不容易才找到一家挺不错的公司，还给解决户口，但竞争这个工作的人肯定不少。

> In this case, 好不容易 can also be phrased 好容易, both of which mean 很不容易. Another example: 我好不容易才找到他的家。

今天的面试一定要成功！她想，干脆早点儿起来，好好准备准备吧。第一次见面，一定要给人留下一个好印象。

穿什么衣服好呢？她先拿起一条连衣裙，觉得不够性感，随手把它扔到了床上；又拿起一条吊带裙，犹豫了一下，还是

> 还是 in the text indicates that after much comparison and thought, a choice has been made. Another example: 我想你还是去中国留学吧。

Unit
10

穿上了。

她又看了看闹钟，才六点半，时间还早，应该再养养神。可是刚一坐下，闹钟就响了起来，把她吓了一跳。她想，还是再化化妆吧。可又一想，"我是去找工作，又不是去见男朋友，还是庄重点儿好。"

> This means "to give her a startle". One can also say 吓了她一跳.

最后，她换上了妈妈为她买的套装，自信地出了门。

Pinyin text

Háishi Zhuāngzhòng Diǎnr Hǎo

Qián Píngping kànle kàn nàozhōng, hái bú dào wǔ diǎn bàn. Tā xiǎng zài shuì yíhuìr, kěshì zěnme yě shuìbuzháo. Dàxué bìyè dōu kuài sān gè yuè le, hái méiyǒu zhǎodào mǎnyì de gōngzuò. Zhè yí cì hǎo bù róngyì cái zhǎodào yì jiā tǐng búcuò de gōngsī, hái gěi jiějué hùkǒu, dàn jìngzhēng zhège gōngzuò de rén kěndìng bùshǎo.

Jīntiān de miànshì yídìng yào chénggōng! Tā xiǎng, gāncuì zǎo diǎnr qǐlái, hǎohāor zhǔnbèi zhǔnbèi ba. Dì-yī cì jiànmiàn, yídìng yào gěi rén liúxià yí gè hǎo yìnxiàng.

Chuān shénme yīfu hǎo ne? Tā xiān náqǐ yì tiáo liányīqún, juéde búgòu xìnggǎn, suíshǒu bǎ tā rēngdàole chuáng shang; yòu náqǐ yì tiáo diàodàiqún, yóuyùle yíxià, háishi chuānshàng le.

Tā yòu kànle kàn nàozhōng, cái liù diǎn bàn, shíjiān hái zǎo, yīnggāi zài yǎngyǎng shén. Kěshì gāng yí zuòxià, nàozhōng jiù xiǎngle qǐlái, bǎ tā xiàle yí tiào. Tā xiǎng, háishi zài huàhua zhuāng ba. Kě yòu yì xiǎng, "Wǒ shì qù zhǎo gōngzuò, yòu bú shì qù jiàn nánpéngyou, háishi zhuāngzhòng diǎnr hǎo. "

Zuìhòu, tā huànshàngle māma wèi tā mǎi de tàozhuāng, zìxìn de chūle mén.

⚙ **根据课文回答问题**
Answer the questions according to the text.

1. 钱平平为什么睡不着？
2. 钱平平今天要去干什么？
3. 钱平平起来那么早干什么？
4. 钱平平为什么不穿连衣裙，想穿吊带裙？
5. 钱平平最后穿了一件什么衣服去面试？为什么？

⚙ **讨论：你觉得什么样的工作才算好工作？你觉得怎么样才能找到好工作？**
Discussion: What kind of job do you think is a good job? How do you find a good job?

语言点 Yǔyándiǎn **Language points**

❖ Summary of Adverbs

Adverbs in Chinese usually have multiple meanings, hence their usages are rather complicated. Some adverbs can convey the speaker's subjective viewpoint and tone of voice. Such applications of some commonly used adverbs are shown below:

就

就 can be used to indicate the speaker's feeling that something is/happens "faster/ earlier/ more easily" than expected. For example:

1. 九点上课，他八点半就来了。
2. 汽车开了十来分钟就到那儿了。
3. 你等一下，我马上就来。
4. 刚坐一下，闹钟就响了起来。
5. 我一进门就看到他了。
6. 你多读几遍就记住了。

才

As the opposite to 就，才 is used to indicate the speaker's feeling that something is/happens "later/ more slowly/ with greater difficulty" than expected. For example:

1. 九点上课，他九点半才来。
2. 汽车开了七个小时才到那儿。
3. 这一次好不容易才找到一家挺不错的公司。
4. 我跑了好几家书店才买到这本书。

When 才 is placed before words that indicate time, age, or quantity, it means "only". For example:

5. 她又看了看闹钟，才六点半。
6. 才十二点，早着呢。
7. 你才三十，我都四十了。
8. 这本书真便宜，才十块钱。

都

When 都 is placed before words that indicate time or age, it means "already", which is opposite to the meaning of 才. For example:

1. 大学毕业都快三个月了。
2. 天都黑了，他怎么还没回家?
3. 都十二点了，你还不睡觉啊?
4. 我今年都三十了，不年轻了。

还

还 means "still, (not) yet" (as in examples 1-5), and "the expansion of scope and range" (as in examples 6-7). For example:

1. 才六点半，时间还早。
2. 急什么，还有一个多小时呢。
3. 大学毕业都快三个月了，还没有找到满意的工作。
4. 你怎么还没走啊? 再不走就来不及了。
5. 钱平平看了看闹钟，还不到五点半。
6. 这是一家挺不错的公司，还给解决户口。
7. 除了衣服以外，你还想买什么?

Note: 就，都，才 and 还 are all adverbs and cannot be placed before the subject.

⚙ 用"就""都""才""还"填空

Fill in the blanks with 就，都，才 or 还.

1. 请等一下，我马上_____到。
2. 我查了三本词典，_____把这个词的意思弄明白。
3. 这么晚了，他_____没到，我想他不可能来了。
4. 急什么，_____有半个小时呢！
5. 她 18 岁_____结婚了，她姐姐 40 岁_____结婚。
6. 九点上课，现在_____十点半了，你怎么_____来呀？
7. 九点上课，现在_____八点，你怎么_____来了？
8. 他_____学了半年汉语，_____说得这么流利了，真让人吃惊！

文化点 Wénhuàdiǎn Cultural notes

Occupations of Chinese College Graduates

Over the past decades Chinese higher education has been developing fast, especially after 1999 when colleges began to recruit students on a larger scale, and the number of college graduates has rapidly increased. Statistics show that in 2002 there were 1.23 million college graduates, while in 2014 college graduates soared to 7.27 million. The original "elite" college graduates are facing more and more difficulties in finding jobs.

More and more college graduates are beginning to choose non-traditional jobs, such as going to serve in under-developed western areas in China, to the countryside or starting their own business, as opposed to the traditional jobs in state organs and public institutions in big cities of Beijing, Shanghai and Guangzhou. There are surely quite a number who choose to continue with post graduate education or go abroad for further study in expectation of a better employment platform.

Unit
10

Unit 11

Yǒu Jiè Yǒu Huán

有 借 有 还

I Borrow, I Return

学习目标
Learning objectives

* 谈论家庭关系

  Talking about family relations

* 了解中国人的孝悌观念

  Understanding Chinese ethics on filial piety

* 学习相关词汇，以及常用关联词语小结

  Learning related words and a summary of common conjunctions

如果你去中国某个城市留学，大概需要多少费用？请确定一个城市，查找相关材料，填写下面的表格。

How much would it cost if you went to study in a Chinese city? Please choose a city, search for relevant information and fill in the following form.

费用名称	学　费	住宿费	生活费	其　他	
金额					

你读大学的学费是怎么来的？父母给你的学费，你还要还给父母吗？

Who pays for your college tuition? If your parents pay, do you need to pay them back?

你会跟朋友借钱吗，会借给朋友钱吗？为什么？

Have you ever borrowed money from friends or lent money to friends? Why?

Unit
11

Text 1

1.	假期	(N.)	jiàqī	holiday
2.	辛苦	(Adj.)	xīnkǔ	toilsome, laborious, difficult
3.	不但	(Conj.)	búdàn	not only
4.	利用	(V.)	lìyòng	make use of; take advantage of
5.	段	(M.W.)	duàn	section
6.	选	(V.)	xuǎn	choose, select
7.	门	(M.W.)	mén	(measure word for a course or subject)
8.	学分	(N.)	xuéfēn	school/course credit
9.	哪怕	(Conj.)	nǎpà	even though; regardless
10.	贷款	(N., V.O.)	dàikuǎn	loan; take out a loan
11.	挣	(V.)	zhèng	earn (money)
12.	分	(V.)	fēn	separate
13.	既然	(Conj.)	jìrán	now that
14.	想法	(N.)	xiǎngfǎ	way of thinking; idea
15.	只有	(Conj.)	zhǐyǒu	only when; as long as
16.	独立	(V.)	dúlì	become independent
17.	万一	(Adv.)	wànyī	just in case; what if
18.	即使	(Conj.)	jíshǐ	even though
19.	回	(M.W.)	huí	(measure word for number of times of an action)

Text 2

20.	路上	(N.)	lùshang	along the way; en route
21.	部分	(N.)	bùfen	section, part

22.	感到	(V.)	gǎndào	feel
23.	理解	(V.)	lǐjiě	understand, comprehend
24.	房租	(N.)	fángzū	rent
25.	可笑	(Adj.)	kěxiào	ridiculous, laughable
26.	不论	(Conj.)	búlùn	regardless of
27.	伸手	(V.O.)	shēnshǒu	ask for help (literally: stretch out one's hand)
28.	笔	(M.W.)	bǐ	sum, amount; (measure word for money)
29.	数目	(N.)	shùmù	quantity, amount
30.	仔细	(Adj.)	zǐxì	careful, attentive
31.	孝顺	(Adj.)	xiàoshùn	filial; obedient to one's elders
32.	却	(Adv.)	què	but, yet, however
33.	学位	(N.)	xuéwèi	degree
34.	道理	(N.)	dàolǐ	reason, sense
35.	仅仅	(Adv.)	jǐnjǐn	only, merely
36.	主要	(Adj.)	zhǔyào	primary, main
37.	任务	(N.)	rènwù	task, mission

⚙ **用本课的生词填空**

Fill in the blanks with the new words and expressions.

1. 我打算_____这个假期去中国旅行。
2. _____发生什么事故，或者遇到什么危险，你都可以打110找警察。
3. 住在大城市，光一年的房租就是一_____不小的数字。
4. 你已经有工作了，怎么还好意思向父母_____要钱呢？
5. 货还没到，却要我们先付款，这是什么道理？太_____了！
6. 你_____看看，这上面写的是3000块，不是30000块！
7. 今天的_____看来不能按时完成了，晚上又要加班了。
8. 我不能_____为什么父母要给孩子买房子。
9. 他上大学的学费都是自己挣的，每个周末都要出去打工，非常_____。
10. 他竟然会有这样的想法，我_____很奇怪。

Unit
11

我不还他们

I Am not Going to Pay Them Back

Standing by a university campus road, Mark and Lin Na are discussing how to spend their summer break.

马克：假期咱们一起去打工吧！

林娜：我**是**想去打工，可是我爸爸妈
妈说，女孩子打工太辛苦。他们不但不让我打工，
而且还让我利用这段时间多选几门课，多拿几个
学分。

> In this case, 是 expresses a confirmation and should be pronounced with a stress.

马克：那你明年的学费怎么办？

林娜：向我爸爸妈妈要啊。我爸妈说了，虽然我们家不
是很有钱，但是只要我需要，他们就会给我想办法，
哪怕贷款也没关系。我要多少他们就会给多少。

马克：那你什么时候还他们？

林娜：我不还他们，他们也不要我还。你父母给你钱，
还要你还吗？

马克：他们不是"给"我钱，是"借"给我钱。我已经
从我父母那里借了三千多块钱了，等我大学毕业
找到工作以后，我会很快还他们的。你们中国人
不是也说"有借有还"吗？

林娜：那不一样。父母挣钱不就是为了孩子吗？父母的
钱就是孩子的钱，分那么清楚干什么？

马克：我已经二十岁了，不是孩子了。父母挣钱也不是
为了我，他们有自己的生活。

林娜：我还是不明白。不管什么时候，父母和孩子都是
　　　一家人。既然是一家人，就不用分得那么清楚。

马克：那是你们中国人的想法。可是我们觉得，虽然孩
　　　子和父母是一家人，但是只要你到了十八岁，就
　　　应该独立。只有在经济上独立了，你才能真正地
　　　独立。

> Here 上 means 方面, or "in the aspect of; in this respect." For example: 在政治上/在法律上/在生活上/在爱情上.

林娜：那万一你大学毕业以后找不着
　　　好工作，你借他们的钱还不了，你会怎么办？

马克：这个问题我还真没想过。不过我想，即使还不了
　　　也没关系。

林娜：那还不是一回事。

> This is a rhetorical question. It means 那是一回事, or "it's the same thing".

马克：不是一回事，是两回事。

Pinyin text

Wǒ Bù Huán Tāmen

Mǎkè: Jiàqī zánmen yìqǐ qù dǎgōng ba!

Lín Nà: Wǒ shì xiǎng qù dǎgōng, kěshì wǒ bàba māma shuō, nǚ háizi dǎgōng tài xīnkǔ. Tāmen búdàn bú ràng wǒ dǎgōng, érqiě hái ràng wǒ lìyòng zhè duàn shíjiān duō xuǎn jǐ mén kè, duō ná jǐ gè xuéfēn.

Mǎkè: Nà nǐ míngnián de xuéfèi zěnme bàn?

Lín Nà: Xiàng wǒ bàba māma yào a. Wǒ bà mā shuō le, suīrán wǒmen jiā bú shì hěn yǒuqián, dànshì zhǐyào wǒ xūyào, tāmen jiù huì gěi wǒ xiǎng bànfǎ, nǎpà dàikuǎn yě méi guānxi. Wǒ yào duōshao tāmen jiù huì gěi duōshao.

Mǎkè: Nà nǐ shénme shíhou huán tāmen?

Lín Nà: Wǒ bù huán tāmen, tāmen yě bú yào wǒ huán. Nǐ fùmǔ gěi nǐ qián, hái yào nǐ huán ma?

Mǎkè: Tāmen bú shì "gěi" wǒ qián, shì "jiè" gěi wǒ qián. Wǒ yǐjīng cóng wǒ fùmǔ nàlǐ jièle sānqiān duō kuài qián le, děng wǒ dàxué bìyè zhǎodào gōngzuò yǐhòu, wǒ huì hěn kuài huán tāmen de. Nǐmen Zhōngguórén bú shì yě shuō "yǒu jiè yǒu hái" ma?

Lín Nà: Nà bù yíyàng. Fùmǔ zhèng qián bú jiù shì wèile háizi ma? Fùmǔ de qián jiù shì háizi de qián, fēn nàme qīngchu gàn shénme?

Mǎkè: Wǒ yǐjīng èrshí suì le, bú shì háizi le. Fùmǔ zhèng qián yě bú shì wèile wǒ, tāmen yǒu zìjǐ de shēnghuó.

Lín Nà: Wǒ háishi bù míngbai. Bùguǎn shénme shíhou, fùmǔ hé háizi dōu shì yì jiā rén. Jìrán shì yì jiā rén, jiù bú yòng fēn de nàme qīngchu.

Mǎkè: Nà shì nǐmen Zhōngguórén de xiǎngfǎ. Kěshì wǒmen juéde, suīrán háizi hé fùmǔ shì yì jiā rén, dànshì zhǐyào nǐ dàole shíbā suì, jiù yīnggāi dúlì. Zhǐyǒu zài jīngjì shang dúlì le, nǐ cái néng zhēnzhèng de dúlì.

Lín Nà: Nà wànyī nǐ dàxué bìyè yǐhòu zhǎobuzháo hǎo gōngzuò, nǐ jiè tāmen de qián huánbuliǎo, nǐ huì zěnme bàn?

Mǎkè: Zhège wèntí wǒ hái zhēn méi xiǎngguo. Búguò wǒ xiǎng, jíshǐ huánbuliǎo yě méi guānxì.

Lín Nà: Nà hái bú shì yì huí shì.

Mǎkè: Bú shì yì huí shì, shì liǎng huí shì.

⚙ **根据课文回答问题**

Answer the questions according to the text.

1. 林娜的父母为什么不让她打工?
2. 关于林娜的生活费,她父母是怎么说的?
3. 林娜为什么觉得父母的钱就是孩子的钱?
4. 马克为什么觉得父母的钱不是孩子的钱?
5. 林娜明白马克的想法了吗?

⚙ **根据课文填空**

Fill in the blanks according to the text.

林娜假期想去_____,可是林娜的爸爸妈妈不_____,觉得女孩子打工太_____。他们不但不让林娜假期去打工,_____还让她利用这段时间多选几门课,多_____几个学分。至于林娜的学费,她爸妈会给她。_____林娜需要,他们哪怕是_____也会给林娜。林娜觉得这很正常,中国父母挣钱就是_____孩子,父母和孩子_____是一家人,钱就不用分那么_____。

你还得起吗?

Can You Afford to Pay Us Back?

今天在路上碰见了马克,他建议我假期去打工。马克告诉我,他的学费一部分是自己打工挣的,一部分是跟父母借的,将来要还给父母。更让我感到不能理解的是,他假期住在家里,他爸爸还要他交房租!

开始的时候我觉得很可笑,怎么会这样?中国的孩子,不论过没过十八岁,只要没结婚、没工作,都可以伸手向父母要钱,谁也不会说"借"。

我记不清从小到大跟父母要过多少钱了,只知道光

给我钱。

这两年的学费、生活费就是一笔不小的数目。仔细一想，我吓坏了，要是他们要我还，我还得起吗？

也许我也应该去打工，自己赚点儿钱好孝顺孝顺他们。于是我就给父母打了个电话，可是却被爸爸骂了一顿："谁要你还了？你还得起吗？再说，你早点儿把学位读出来，早点儿找一个好工作，早点儿结婚，不就什么都有了？"

> This is used to connect sentences. It indicates a further cause or reason, in addition to the ones already mentioned.

爸爸的话好像也有道理。他和妈妈从来没想到要我还钱，我要还给他们的也不仅仅是钱。我现在是学生，主要的任务是学习，只要把学习搞好就行了。

> This means "you'll have everything". 不就...了吗 is a rhetorical question that means 就...了. Another example: 你打个电话问问她，不就知道了？

算了，打工的事儿，以后再说吧。

> 再说 is used at the end of a sentence. It means "to give no consideration to something for the moment". Another example: 这件事明天再说吧。

Pinyin text

Nǐ Huándeqǐ Ma?

Jīntiān zài lùshang pèngjiànle Mǎkè, tā jiànyì wǒ jiàqī qù dǎgōng. Mǎkè gàosu wǒ, tā de xuéfèi yí bùfen shì zìjǐ dǎgōng zhèng de, yí bùfen shì gēn fùmǔ jiè de, jiānglái yào huán gěi fùmǔ. Gèng ràng wǒ gǎndào bù néng lǐjiě de shì, tā jiàqī zhù zài jiā li, tā bàba hái yào tā jiāo fángzū!

Kāishǐ de shíhou wǒ juéde hěn kěxiào, zěnme huì zhèyàng? Zhōngguó de háizi, búlùn guò méi guò shíbā suì, zhǐyào méi jiéhūn, méi gōngzuò, dōu kěyǐ shēnshǒu xiàng fùmǔ yào qián, shéi yě bú huì shuō "jiè".

Wǒ jìbuqīng cóng xiǎo dào dà gēn fùmǔ yàoguo duōshao qián le, zhǐ zhīdào guāng zhè liǎng nián de xuéfèi, shēnghuófèi jiùshì yì bǐ bù xiǎo de shùmù. Zǐxì yì xiǎng, wǒ xiàhuài le, yàoshi tāmen yào wǒ huán, wǒ huándeqǐ ma?

Yěxǔ wǒ yě yīnggāi qù dǎgōng, zìjǐ zhuàn diǎnr qián hǎo xiàoshùn xiàoshùn tāmen. Yúshì wǒ jiù gěi fùmǔ dǎle gè diànhuà, kěshì què bèi bàba màle yí dùn: "Shéi yào nǐ huán le? Nǐ huándeqǐ ma? Zài shuō, nǐ zǎo diǎnr bǎ xuéwèi dú chūlái, zǎo diǎnr zhǎo yí gè hǎo gōngzuò, zǎo diǎnr jiéhūn, bú jiù shénme dōu yǒu le?"

Bàba de huà hǎoxiàng yě yǒu dàolǐ. Tā hé māma cónglái méi xiǎngdào yào wǒ huán qián, wǒ yào huán gěi tāmen de yě bù jǐnjǐn shì qián. Wǒ xiànzài shì xuésheng, zhǔyào de rènwù shì xuéxí, zhǐyào bǎ xuéxí gǎohǎo jiù xíng le.

Suàn le, dǎgōng de shìr, yǐhòu zài shuō ba.

⚙ **根据课文回答问题**
Answer the questions according to the text.
1. 马克的学费是从哪儿来的？
2. 林娜不能理解什么？
3. 在哪些情况下，中国的孩子不能伸手向父母要钱？
4. 林娜为什么吓坏了？
5. 林娜的爸爸为什么不让林娜去打工？
6. 林娜为什么觉得爸爸的话有道理？
7. 你觉得林娜爸爸的话有道理吗？
8. 林娜最后去打工了吗？

⚙ **林娜觉得什么才是孝顺？林娜的父母呢？你觉得呢？**
What does Li Na think filial piety is? What about her parents? What is your opinion?

	孝顺的定义
林娜	
林娜的父母	
你	

语言点 Yǔyándiǎn **Language points**

❖ **Compound Sentences**

The conjunctions in compound sentences typically appear in pairs. For example: 因为 ... 所以 ..., 如果 ... 就 ..., and 既 ... 又 .... Here are five common types of compound sentences:

Unit
11

虽然……但（是）/可是……
Although..., yet...

1. 虽然我们家不是很有钱，但是只要我需要，他们就会给我想办法。
2. 虽然孩子和父母是一家人，但是只要你到了十八岁，就应该独立。
3. 虽然我已经是大学生了，但是爸爸妈妈还是把我当成孩子。
4. 我虽然没见过他，可是我听说过他。
5. 虽然马丁心里很生气，可是什么也没说。

哪怕 / 即使……也……
Even if/ Though..., ...

1. 哪怕贷款也没关系。
2. 哪怕明天下雨，我也要去爬山。
3. 即使还不了也没关系。
4. 即使你们都同意，我也不能这么做。

只有……才……
Only when..., ...

This is used to indicate that only under certain conditions will an action occur. For example:
1. 只有在经济上独立了，你才能真正地独立。
2. 你只有找到她，才能找到马丁。
3. 只有认真学习，你才会有进步。
4. 只有考上好大学，将来才有可能找到好工作。

只要……就……
So long as..., ...

This means that as long as there is a certain condition, there must be a certain result. The focus of the sentence is on the second clause. For example:
1. 只要你到了十八岁，就应该独立。
2. 孩子只要没结婚、没工作，就可以伸手向父母要钱。
3. 你只要考上了好大学，将来就能找到好工作。
4. 只要我有时间，我就一定去。

不论 / 不管……都……
No matter…, …

In this compound sentence, the first clause provides at least two possibilities, or some indefinite situations denoted by interrogative pronouns, such as 什么 or 谁. The focus of the sentence is on the second clause. For example:

1. 中国的孩子，不论过没过十八岁，都可以向父母要钱。
2. 不管明天下雨（还是）不下雨，我都要去爬山。
3. 不管在北京还是在上海或者别的大城市，都可以看见很多外国人。
4. 不管什么时候，父母和孩子都是一家人。
5. 不论是谁（老师还是学生），都不能在教室抽烟。

Note: The above conjunctions 也，才，就 and 都 are all adverbs, and therefore they cannot be placed before the subject.

⚙ 用给定的关联词语完成句子
Use the conjunctions in the brackets to complete the following sentences.

1. 开车　　方便　　对身体　　没有好处（虽然……可是……）

   _____

2. 气温在零度以下　　他们　　照样　　到河里去游泳（哪怕……也……）

   _____

3. 她邀请我　　我不会去（即使……也……）

   _____

4. 十八岁以上　　可以喝酒（只有……才……）

   _____

5. 你给我一个电话　　我一定来帮你（只要……就……）

   _____

6. 大国还是小国　　每个国家　　是平等的（不论……都……）

   _____

⚙ 选择下面的关联词语，把两个小句连接起来
Choose the correct conjunctions to fill in the blanks.

虽然　即使　哪怕　只有　只要　不管　不论　既
因为　但是　所以　也　都　才　就　却　还　又

1. _____他已经工作了，_____还伸手向父母要钱。
2. _____你是不是已经结婚，_____要孝顺父母。
3. _____父母不要你还钱，你_____不能不还。
4. _____在国外留学，林娜_____是每天都跟父母打电话。
5. _____还没有参加工作，_____林娜没有自己的收入。
6. 一放寒暑假，他_____马上回家。
7. 林娜平时学习很忙，_____假期_____有时间打工。
8. 父母_____希望孩子能吃苦，_____担心孩子太辛苦。

文化点 Wénhuàdiǎn **Cultural notes**

Traditional Chinese family responsibilities can be generalized as the father being affectionate, children being dutiful and siblings showing love and respect to each other. To be more detailed, it goes as follows: parents should take the responsibility of raising and educating their children, even including providing children with economic support for them to get married and start a business. Children should take the responsibility of supporting and taking care of their parents, including showing obedience to the parents' arrangements of education and marriage, taking care of aging parents, even holding the parents' funeral, carrying on the familys name etc. Siblings should get along well with each other. The elders should be friendly to the younger ones, and the younger ones should show respect to the elders.

Chinese family's sense of responsibility comes not only from the care for children, but also from the profound impact of Confucian culture. Filial piety is an important element of Confucian culture, it is also the basis of being benevolent and maintaining the etiquette system.

Filial piety at present is still the liveliest traditional virtue in the Chinese nation. Naturally, with the change in the structure of Chinese families and the influence of Western culture, the concept and form of filial piety are witnessing profound changes.

Unit 12

Jiérì Kuàilè
节日 快乐
Have a Happy Holiday!

学习目标

Learning objectives

* 谈论节日及过节的方式

  Talking about festivals and celebrations

* 了解当代中国的节日和过节方式

  Getting to know festivals and celebrations in current China

* 学习相关词汇，以及语段的衔接与连贯

  Learning related words, cohesion and coherence of a discourse

日历上的节日：拿出一份今年的日历，找一找下面这些节日在哪一天。
Public Holidays: Get this year's calendar and find the dates of the following festivals.

春节 _____   元宵节 _____   中秋节 _____   端午节 _____

劳动节 _____   国庆节 _____   青年节 _____   妇女节 _____

儿童节 _____   教师节 _____

关于节日的礼物。
Holiday gifts.

春节，我送奶奶 _____

母亲节，我送妈妈 _____

父亲节，我送爸爸 _____

圣诞节，我送孩子 _____

情人节，我送爱人 _____

教师节，我送老师 _____

词语 Cíyǔ Words and Expressions

Text

1.	节日	(N.)	jiérì	festival, holiday
2.	独特	(Adj.)	dútè	unique
3.	过节	(V.O)	guòjié	celebrate a holiday
4.	方式	(N.)	fāngshì	method, way
5.	传统	(N., Adj.)	chuántǒng	tradition; traditional
6.	等等	(Pt.)	děngděng	so on and so forth; etc.
7.	假如	(Conj.)	jiǎrú	if, suppose
8.	少数民族		shǎoshù mínzú	ethnic minority
9.	加	(V.)	jiā	add
10.	元宵	(N.)	yuánxiāo	glutinous rice flour dumplings
11.	月饼	(N.)	yuèbing	moon cake
12.	聊天	(V. O.)	liáotiān	chat
13.	流行	(Adj.)	liúxíng	popular, trendy, fashionable
14.	待	(V.)	dāi	stay
15.	人满为患		rénmǎn-wéihuàn	overcrowded with people
16.	开放	(V.)	kāifàng	open up; release
17.	好奇	(Adj.)	hàoqí	curious
18.	浪漫	(Adj.)	làngmàn	romantic
19.	五颜六色		wǔyán-liùsè	multicolored
20.	枝	(M.W.)	zhī	(measure word for plants and flowers)
21.	玫瑰	(N.)	méigui	rose
22.	对于…来说		duìyú…láishuō	as far as sth./sb. is concerned
23.	对于	(Prep.)	duìyú	to; as for
24.	似乎	(Adv.)	sìhū	seemingly; as if
25.	专利	(N.)	zhuānlì	patent
26.	丝巾	(N.)	sījīn	silk scarf
27.	香水	(N.)	xiāngshuǐ	perfume

Unit

12

28.	贵重	(Adj.)	guìzhòng	expensive, valuable
29.	接受	(V.)	jiēshòu	accept, receive
30.	合不拢嘴		hébulǒng zuǐ	can't keep one's mouth shut (from joy); grinning from ear to ear
31.	失落	(Adj.)	shīluò	disappointed
32.	出现	(V.)	chūxiàn	appear
33.	算不上		suànbushàng	cannot be regarded as
34.	某	(Pron.)	mǒu	certain
35.	使	(V.)	shǐ	make, cause
36.	感受	(N., V.)	gǎnshòu	feeling; feel
37.	真挚	(Adj.)	zhēnzhì	sincere

Proper nouns

1.	春节	Chūn Jié	Spring Festival
2.	元宵节	Yuánxiāo Jié	Lantern Festival
3.	中秋节	Zhōngqiū Jié	Mid-autumn Festival
4.	西方	Xīfāng	the West
5.	圣诞节	Shèngdàn Jié	Christmas
6.	情人节	Qíngrén Jié	Valentine's Day
7.	光棍节	Guānggùn Jié	Singles' Day
8.	母亲节	Mǔqīn Jié	Mother's Day
9.	父亲节	Fùqīn Jié	Father's Day

❂ **在句子中填写正确的词语**

Complete the sentences with correct words.

1. 许仙和白娘子的爱情故事_____我很受感动。
2. 中国年轻人的生活_____已经越来越西方化了。
3. 不到长城非好汉，意思是说如果没去过长城，就_____好汉。
4. 我能理解你们的想法，但我不能_____你们的意见。
5. 别老是_____在家里，到外边散散步吧。
6. 现在年轻人都发手机短信拜年。你不知道吗，这是现在_____的拜年方式。
7. 这礼物值好几千块吧，你送这么_____的礼物给我，我还真不敢收。
8. 以前汉字是写在竹子上的，后来发明了纸，才_____了纸质书。
9. 春节期间，看到在外地工作的孩子们都回家来了，老奶奶高兴得_____。
10. 1978年以后，中国开始改革、_____，中外交流也越来越多了。

越来越多的节日

More and More Festivals

　　每个国家都有自己的节日，也有自己独特的过节方式。中国也一样。中国最重要的传统节日当然是春节。除了春节以外，中国还有元宵节、中秋节等等。假如把少数民族的节日也加上，中国人几乎天天都在过节。

　　以前，中国人过节特别喜欢吃：春节吃饺子，元宵节吃元宵，中秋节吃月饼。吃完以后，喝喝茶，聊聊天，看看电视，时间很快就过去了。开始的时候大家都在家里吃，后来很多人觉得太麻烦，就到饭店吃。吃多了，人们慢慢儿就觉得没什么意思，想出去走走、看看。所以旅行就流行起来了：五一去旅行，十一去旅行，就连

春节也不再像以前那样待在家里了。结果呢，火车、汽车、饭店、公园，到处人满为患。

现在，中国开放了，除了传统的节日以外，很多人还非常喜欢过外国人的节日。特别是年轻人，他们过西方人的节日主要是因为好奇。他们最喜欢的西方节日是圣诞节和情人节。在他们看来，西方人的圣诞节过得很浪漫：圣诞树上挂满五颜六色的灯，圣诞老人穿着红色的衣服……；情人节也是这样，2月14号那天，花店里非常热闹，小伙子们都想买一枝红玫瑰，送给自己的女朋友。单身的年轻人还发明了自己的节日，11月11号"光棍节"。

对于年纪大一些的人来说，传统的节日过得太多了，圣诞节和情人节似乎又是年轻人的专利。于是，中国又"进口"了母亲节。到了5月的那一天，孩子们——尤其是女儿们——总会想着给母亲送上些小礼物，比如丝巾、香水什么的。当然，有的礼物也很贵重。不管是什么样的礼物，母亲们在接受的时候都会笑得合不拢嘴。这样一来，父亲们多少会有些失落。可是，没过多久，商店

的门前出现了这样的广告：别忘了你父亲！于是，中国也有了父亲节。

节日越来越多，过节的方式也变得越来越让人感动。一件小小的礼物其实也算不上什么，可是在某一个特别的时候，常常能使人感受到真挚的情和爱。

Yuèláiyuè Duō De Jiérì

Měi gè guójiā dōu yǒu zìjǐ de jiérì, yě yǒu zìjǐ dútè de guòjié fāngshì. Zhōngguó yě yíyàng. Zhōngguó zuì zhòngyào de chuántǒng jiérì dāngrán shì Chūn Jié. Chúle Chūn Jié yǐwài, Zhōngguó hái yǒu Yuánxiāo Jié, Zhōngqiū Jié děngděng. Jiǎrú bǎ shǎoshù mínzú de jiérì yě jiāshàng, Zhōngguórén jīhū tiāntiān dōu zài guòjié.

Yǐqián, Zhōngguórén guòjié tèbié xǐhuan chī: Chūn Jié chī jiǎozi, Yuánxiāo Jié chī yuánxiāo, Zhōngqiū Jié chī yuèbing. Chīwán yǐhòu, hēhe chá, liáoliao tiān, kànkan diànshì, shíjiān hěn kuài jiù guòqù le. Kāishǐ de shíhou dàjiā dōu zài jiā li chī, hòulái hěn duō rén juéde tài máfan, jiù dào fàndiàn chī. Chī duō le, rénmen mànmānr jiù juéde méi shénme yìsi, xiǎng chūqu zǒuzou, kànkan. Suǒyǐ lǚxíng jiù liúxíng qǐlái le: Wǔ-yī qù lǚxíng, Shí-yī qù lǚxíng, jiù lián Chūn Jié yě bú zài xiàng yǐqián nàyàng dāi zài jiā li le. Jiéguǒ ne, huǒchē, qìchē, fàndiàn, gōngyuán, dàochù rénmǎn-wéihuàn.

Xiànzài, Zhōngguó kāifàng le, chúle chuántǒng de jiérì yǐwài, hěn duō rén hái fēicháng xǐhuan guò wàiguórén de jiérì. Tèbié shì niánqīngrén, tāmen guò Xīfāngrén de jiérì zhǔyào shì yīnwèi hàoqí. Tāmen zuì xǐhuan de Xīfāng jiérì shì Shèngdàn Jié hé Qíngrén Jié. Zài tāmen kànlái, Xīfāngrén de Shèngdàn Jié guò de hěn làngmàn: Shèngdànshù shang guàmǎn wǔyán-liùsè de dēng, Shèngdàn Lǎorén chuānzhe hóngsè de yīfu…; Qíngrén Jié yě shì zhèyàng, èr yuè shísì hào nà tiān, huādiàn li fēicháng rènao, xiǎohuǒzimen dōu xiǎng mǎi yì zhī hóng méigui, sòng gěi zìjǐ de nǚpéngyou. Dānshēn de niánqīngrén hái fāmíngle zìjǐ de jiérì, shíyī yuè shíyī hào "Guānggùn Jié".

Duìyú niánjì dà yìxiē de rén láishuō, chuántǒng de jiérì guò de tài duō le, Shèngdàn Jié hé Qíngrén Jié sìhū yòu shì niánqīngrén de zhuānlì. Yúshì, Zhōngguó yòu "jìnkǒu" le Mǔqīn Jié. Dàole wǔ yuè de nà yì tiān, háizimen—yóuqí shì nǚ'érmen— zǒng huì xiǎngzhe gěi mǔqīn sòngshàng xiē xiǎo lǐwù, bǐrú sījīn, xiāngshuǐ shénme de. Dāngrán, yǒude lǐwù yě hěn guìzhòng. Bùguǎn shì shénme yàng de lǐwù, mǔqīnmen zài jiēshòu de shíhou dōu huì xiào de hébùlǒng zuǐ. Zhèyàng yì lái, fùqīnmen duōshǎo huì yǒu xiē shīluò. Kěshì, méi guò duō jiǔ, shāngdiàn de mén qián chūxiànle zhèyàng de guǎnggào: Bié wàngle nǐ fùqīn! Yúshì, Zhōngguó yě yǒule Fùqīn Jié.

Jiérì yuèláiyuè duō, guòjié de fāngshì yě biànde yuèláiyuè ràng rén gǎndòng. Yí jiàn xiǎoxiǎo de lǐwù qíshí yě suànbushàng shénme, kěshì zài mǒu yí gè tèbié de shíhou, chángcháng néng shǐ rén gǎnshòu dào zhēnzhì de qíng hé ài.

◎ 根据课文回答问题

Answer the questions according to the text.

1. 中国重要的传统节日有哪些？
2. 以前中国人一般怎么过节？
3. 过节去旅行为什么会在中国流行？
4. 过节去旅行的结果是什么？
5. 在中国的年轻人看来，圣诞节和情人节怎么样？
6. 中国为什么"进口"了母亲节？
7. 母亲节那天，母亲们收到礼物时会怎么样？
8. 中国有父亲节吗？
9. 节日礼物有什么作用？

◎ 讨论：有的人喜欢过节，因为节日热闹、好玩；有的人不喜欢过节，因为节日有时候会很累，还要花不少钱。你呢？你喜欢过节么？喜欢什么节日，不喜欢什么节日？

Discussion: Some people like to celebrate holidays as they like the fun and excitement. Others dislike holidays because they feel tired and may have to spend a lot of money. What about you? Do you like holidays? Which do you like or dislike?

语言点 Yǔyándiǎn Language points

❖ Cohesion and Coherence of a Discourse

A discourse consists of many sentences. Sentences within the discourse should be cohesive and coherent in terms of logic and meaning. Below are common methods of connecting sentences to promote cohesion and coherence.

Conjunctions

The function of conjunctions is to connect words and sentences. Some conjunctions such as 和 / 跟，are used to connect words, while others are used to connect clauses. They are often used in pairs as the connecting words in a compound sentence. Some conjunctions are used to connect several sentences. For example:

1. 我说的英语既不是地道的美式英语，又不是标准的加拿大英语。（第 3 单元）
2. 江山很喜欢打篮球，可是，我太矮，上了球场恐怕连球都摸不到。（第 4 单元）
3. 于是，我们买了机票，登上了飞往北京的飞机。（第 5 单元）
4. 他们最喜欢的西方节日是圣诞节和情人节。（第 12 单元）

Time Words

Time words are an important means of connecting sentences in Chinese discourse. Chinese expressions usually follow the "rule of time sequence", which states that whatever event/situation occurs first must be expressed first. The time words commonly used in a discourse are: 以前 / 从前 / 过去 / 开始的时候，现在 / 如今 / 今天，将来 / 以后 / 后来，etc. For example:

1. 以前，中国人过节特别喜欢吃。（第 12 单元）
2. 后来两个人结了婚，生活很幸福。（第 8 单元）
3. 开始的时候大家都在家里吃，后来很多人觉得太麻烦，就到饭店吃。（第 12 单元）
4. 现在，中国开放了，除了传统的节日以外，很多人还非常喜欢过外国人的节日。（第 12 单元）

Adverbs

In a discourse, some adverbs can serve to connect words and make the ideas or concepts more coherent. For example:

1. 当然啦，自从我学了汉语，认识了林娜以后，我也真的想去看看那个神奇的国家。（第 5 单元）
2. 白小红是从中国来的。也许因为中国有普通话，所以她总是想学习"英语普通话"。其实，她说的英语挺好听的，我基本上都能听懂。（第 3 单元）
3. 我记不清从小到大跟父母要过多少钱了……仔细一想，我吓坏了，要是他们要我还，我还得起吗？（第 11 单元）
4. 但有些人，尤其是大学教授，喜欢在家里看书，不愿意去图书馆。（第 9 单元）

❄ Topics and Changing Topics

In a discourse, the function of some words is to introduce or change the topic. For example:

1. 关于孔子的事，你知道得还挺多。（第 9 单元）
2. 要说取名字，讲究可多了。（第 7 单元）
3. 没关系，我可以把票送给别人。对了，我送点儿什么礼物给孩子呢？（第 2 单元）
4. 对于年纪大一些的人来说，传统的节日过得太多了，圣诞节和情人节似乎又是年轻人的专利。

（第 12 单元）

⚙ 找出文中的关联词

Underline the words that are used to connect the sentences and improve coherence.

对于年纪大一些的人来说，传统的节日过得太多了，圣诞节和情人节似乎又是年轻人的专利。于是，中国又"进口"了母亲节。到了 5 月的那一天，孩子们——尤其是女儿们——总会想着给母亲送上些小礼物，比如丝巾、香水什么的。当然，有的礼物也很贵重。不管是什么样的礼物，母亲们在接受的时候都会笑得合不拢嘴。这样一来，父亲们多少会有些失落。可是，没过多久，商店的门前出现了这样的广告：别忘了你父亲！于是，中国又有了父亲节。

Unit
12

◎ 选词填空

Fill in the blanks with the given words.

都　　虽然　　除了　　不管　　对于　　这样一来　　以后　　可是　　由于

学期快要结束了，这个学期_____不长，_____有许多难忘的记忆。最难忘的事儿是闹了一个笑话：_____我的汉语还不好，所以我送了一个花心萝卜给朋友当生日礼物。最难忘的人是白小红，她一直想学最标准的美式英语，_____她来说，什么事儿都要做到最好。最难忘的地方是校园。_____校园，我还去了中国几个城市旅行，也参观了几所大学，_____，我就知道以后应该去哪个学校留学了。放假_____，我打算去餐厅打工，自己赚学费，我觉得_____是在大学读书，还是去餐厅打工，_____是一种学习。

文化点 Wénhuàdiǎn Cultural notes

Double-11 Festival on November 11th is a date composed of four numbers of one, which is easily connected with single people and thus is called Singles' Day. It is said originally the festival was initiated by college students and a party would be held on that day for single students. As it occurs at the turn of autumn and winter and it is time for people to buy winter clothes, starting in 2009 the Chinese Internet retailer Taobao began promoting it as a shopping festival. In 2009 the business volume on that day was only 100 million yuan, but in 2013 it reached 35 billion yuan. Now Double-11 is a festival not only for single people but also a shopping festival. On this day, people wish to escape from being single and millions of shopping lovers wish for good deals.

词语索引 Index of Vocabulary

The number after each word represents the number of the unit.

语法项目索引 Index of Grammatical Items

责任编辑：陆　瑜
英文编辑：韩芙芸　薛彧威
封面设计：Daniel Gutierrez
插　　图：笑　龙　秦媛媛

图书在版编目（CIP）数据

《当代中文》课本 . 3：汉英对照 / 吴中伟主编 . —修订版 . —北京：华语教学出版社，2015

ISBN 978-7-5138-0735-7

I. ①当… II. ①吴… III. ①汉语－对外汉语教学－教材 IV. ① H195.4

中国版本图书馆 CIP 数据核字 (2014) 第 155004 号

《当代中文》修订版

课本

3

主编　吴中伟

＊

© 孔子学院总部 / 国家汉办

华语教学出版社有限责任公司出版

（中国北京百万庄大街 24 号　邮政编码 100037）

电话：(86)10-68320585, 68997826

传真：(86)10-68997826, 68326333

网址：www.sinolingua.com.cn

电子信箱：hyjx@sinolingua.com.cn

北京玺诚印务有限公司印刷

2003 年（16 开）第 1 版

2015 年（16 开）修订版

2019 年修订版第 5 次印刷

（汉英）

ISBN 978-7-5138-0735-7

定价：69.00 元